U0064438

劉福春・李怡 主編

民國文學珍稀文獻集成

第三輯

新詩舊集影印叢編　第89冊

【曹唯非卷】

微痕

上海：泰東圖書局 1926 年 6 月初版

曹唯非　著

花木蘭文化事業有限公司

國家圖書館出版品預行編目資料

微痕／曹唯非　著 -- 初版 -- 新北市：花木蘭文化事業有限公司，2021〔民 110〕

322 面；19×26 公分

（民國文學珍稀文獻集成・第三輯・新詩舊集影印叢編　第 89 冊）

ISBN 978-986-518-473-5（套書精裝）

831.8　　10010193

ISBN-978-986-518-473-5

9789865184735

民國文學珍稀文獻集成・第三輯・新詩舊集影印叢編（86-120 冊）

第 89 冊

微痕

著　者　曹唯非

主　編　劉福春、李怡

企　劃　四川大學中國詩歌研究院
　　　　四川大學大文學學派

總 編 輯　杜潔祥

副總編輯　楊嘉樂

編　輯　許郁翎、張雅淋、潘玟靜　美術編輯　陳逸婷

出　版　花木蘭文化事業有限公司

社　長　高小娟

聯絡地址　235 新北市中和區中安街七二號十三樓
　　　　電話：02-2923-1455／傳真：02-2923-1452

網　址　http://www.huamulan.tw 信箱 service@huamulans.com

印　刷　普羅文化出版廣告事業

初　版　2021 年 8 月

定　價　第三輯 86-120 冊（精裝）新台幣 88,000 元

微痕

曹唯非 著

曹唯非，生平不詳。

泰東圖書局（上海）一九二六年六月初版。原書三十二開。

微痕
（新詩集）
曹唯非著

微　痕

（新詩集）

曹唯非著

目　　次

微　痕　　3

回憶・

向心靈懺悔・

決不是・

渡船上・

不是我的故鄉・

生涯之影・

尚能・

雖好・

永遠・

相對・

雨後游徐江・

何處・

情緒的波瀾・

唯一的勝利・

小倉別墅夜話・

熱情的災殃・

歸來・

題影贈詠瑛・

故鄉的秋夜・

我可以告訴你們

我可以告訴你們，我要告訴你們：我是有消瘦的身兒，怯弱的心兒，痴狂的感情，怪僻的幻想。我是飽嘗過家庭的社會的說不出的困頓，又經歷一番彷彿似戀愛的顛倒；所以我雖沒有給環境支配死，可也不知道什麼確立的人生觀，——矛盾吧，多面吧，我都不知道。——想着說說，感着寫寫。昨日的，也許給今日翻了；今日的，也許明日打自己的嘴巴。

我還要告訴你們：我對于詩歌只有興趣，沒有研究；只有揮寫，沒有修養。我不知道什麼格調，也不知道什麼作風，像詞曲也好，像散文也好。我這樣寫了，我當伊是詩；我當伊是詩，我就這樣寫了。

我還要告訴你們：我不是看不得印刷所的張張白紙，也不是氣不過印刷者的點點血汗，我白活了一世，只著了這些微痕；既著了這些微痕，也聊以解解我的人生，蓋醬甕好，抹檯子也好，我只能顧及我生之微痕！

我還要告訴你們：假使你們不嫌忙，假使你們閒着時來批評，讚美我不管，譏笑我也不管，你們寫的是你們的，正如我寫我捉住的情緒的流露一樣。

一九二四，八，二三。

寫於相思延年之室

由太湖到蘇州

(一)

身兒流浪了，心兒還戀着家園；

凝望榆梁一帶，屋宇連綿。

看屋宇隱約了，猶見雲樹。

雲樹渺茫了，只剩一綫的水天·

(二)

投入了慈母的懷抱，漁舟兒似搖籃搖搖；

洞庭山色半沈浮，可是搖籃外姊妹遙遙？

浪花兒濺到我口內，已不是慈母的甘乳；

羨煞那天末飛鴻，我只是一葉蘆葦飄颻！

一九二二，二，七，舟中寫假。

春風的暴虐

春風吹了，自然界開顏笑了。
杏花借伊的溫拂，嬌羞而放；
楊枝趁伊的輕揚，婀娜而舞；
小雀也感到微意，不住地唱。
我俯仰自然，也心靈流暢了。

呀！春風最是溫柔慈愛的。
怎的楊枝無力盡低了頭；
怎的杏花多愁，竟垂了淚；
怎的活潑小雀，也咽了歌喉。
春風呀，你也這般暴虐嗎？
我也要掩着臉兒哭了！

三，二三，於埠一里。

春　　痕

（一）　虎邱

無錢的姐姐強笑着，

要錢的哥哥假哭着，

竟使春山也含愁了！

（二）　眞娘墓

美人有什麼眞價？

只有山花年年碧着。

（三）　千人石

我總算脚踏實地了，

却在千人石上滑了！

（四）　劍池

一泓淸水長留，

弄劍的英雄那裏去了？

（五） 冷香閣

我來時——

暗香早偷偷地去了，

只有料峭的春風，

把我的心兒吹冷了！

（六） 望蘇臺

望見棋點般的蘇城，

也望見輕烟籠住的山峯．

到底尋不出春在那裏？

三，二九．

湖　上　吟

（一） 南高峯

上進，上進，……

倦了嗎？

綠的山茶，

紅的杜鵑；

潤了歌喉，

沁了心弦，

努力地進呀，

着起進行之鞭！

好呀，到了，

只有老屋一椽，

　　舵塔半層，

失望嗎？不！

白雲雄壯了我身軀，

春風溫透了我心靈！

(二) 九溪十八澗

好一帶清流，

盡是不容渣滓的清流。

迴環曲折，

只不阻不絕地向前流——流！

生命的流嗎？

流的生命嗎？

我一路低首悠悠！

澗邊幽草，

樹底流鶯；

草兒寫着流水之影，

鶯兒歌着流水之音。

四，七，歸書于雷殿青會。

（三）　初陽臺

葛洪仙去，

初陽臺空。

初陽也惰，

雨意濛濛。

四，八，于西園茶室。

（四）　焦石鳴琴

雨後的山石，

都作芭蕉色。

覓琴聲，

知音久已絕！

四，一一，於康莊。

（五） 雲棲

韜光的竹影，

九溪的泉音，

都到了雲棲。

我願白雲化我。

常住山間！

四，一三。

（六） 風雨亭

蘇姬墳畔，

游客如蜂；

秋俠墓上，

蔓草似蓬。

柔情——俠骨，

我愁煞在風雨亭中！

(七)　孤山

埋着的新鬼舊鬼，

游着的新人舊人。

埋着的朽了，

游着的走了，

孤山終於孤了！

(八)　湖心亭

亭呀！

你是爛漫的孩子之心，

還是美妙的美人之心？

春山映着你醫渦微笑，

春水激着你心弦幽調，

你的心比孩子還爛漫，

你的心比美人還美妙。

我愛着他和伊，

更愛着你亭兒孤悄！

四，一四，瓜皮艇中。

（九） 西湖帶來的禮物

他們送同學的禮物，

有嫩綠的蓮心，潔白的藕粉。

我送同學的，

只有幾朵半殘半萎的紅杜鵑。

禮薄嗎？

我親從北高高處採得來；

禮褻嗎？

我親從心愛的新鮮枝上摘得來。

爲了愛他們，

用流了汗得來的花兒作禮物；

又爲了愛伊，

不忍因殘萎而忘了伊鮮時的嬌豔．

但是受我禮物的誰省得？

只向着蓮心藕粉的朋友道謝！

四，一六，于蘇一師．

歸　　途

　　雨意欲濛濛，

我也帶着濛濛的心意走了，

　　機輪不絕地催動我心輪，

我的血潮也似胥江一般蕩了．

　　轉眼已到了寶帶橋，

橋却懶洋洋地睡着，

一任湖水自來去，
流盡那千古的夢痕。

柳枝兒拂着水波兒
水波兒映着柳枝兒，
鶯脰湖畔繫情思，
反怕鶯兒驚了我！

先見了慈雲塔的斜陽，
更聽了普濟寺的晚鐘。
三五年跳蕩過的震川，
怎不一番經過一心動？

秋風一動憶鱸蒓，

我趁春雨來嘗櫻筍了。

四，二一，蘇北輪舟中。

送　　春

柳絲縱修長，
挽不住嬌柔的春容，
反正碧沈沈遮去了，
覓不到一點的香紅。

鶯歌縱婉博，
喚不住悠揚的春韻。
反正幽默默跟去了，
留不下一縷的餘音。

我的心絲——悠長，

我的心音——婉轉，

春呢？

依舊忍心一去難再！

但我又何須留住，

伊對我有什麽春意？

只有煩悶——悲哀，

我要灑着淚兒送伊長去！

五，七，于一師，

我的心竟失掉了

我的心竟失掉了，

不，給柳絲繫住了。

只隨着風兒飄宕，
終拂不到伊的衣裳。

我的心竟失掉了，
不，給鶯歌喚去了。
只隨着韻兒低昂，
終傳不到伊的耳腔。

我的心竟失掉了，
不，給魚尾排擠了。
只隨着波兒流浪，
終濺不到伊的面龐。

我的心竟失掉了，
不，給雲翳遮蔽了。

只隨着影兒來往，

總籠不到伊的心房。

五，八，于一師。

偶 感

——偕愷剛憩於道山之麓，懷故交峻人——

清幽而爽朗的女貞下，

襯着柔細而滋潤的草茵，

好似爲傾談的我倆點綴。

但只陰蔭中漏下的微陽，

已使我微弱的心兒焦灼，

因爲不相見的他令我心亂！

浮萍滿舖的碧霞池中，

搖曳着輕婉的新荷，

但我始終只愛那葉香清絕。

漫說花色嬌豔可動人，

伊的心味是異樣苦的，

怎奈他也已成了深秋的殘葉！

五，九，師。

假　　使

假使明月是一面鏡子，

當我搖頭遙想時，

就好看見伊的影子。

假使海棠是一只蝴蝶，

就好飛到伊胸前，

寄了我一點的相思，

但是明月只映着我地上的影兒，
海棠只因風在枝頭顫了顫。

七，一〇，于榆梁。

滬杭輪舟中

地球依着舊軌轉動，
爲什麼旅行中的時間這般遲？
自己的心弦奏了緊響。

順風船使着篷，
逆風船也掛着呢，
船家不肯數風征服了。

平時相見同鄉也是路人；
要尋着旅伴時，
到處多成了相識的同鄉。

我感謝逆面的風和水，
身子縱東行，
心兒好向西轉去。

佢們沒有思慮嗎？
怎的一伏身就酣睡了。
我真羨煞到處如家的旅客！

七，二二。

憶C君

C 君，你教我撕了面紗，那本是我的心願；
但是你病了我不能安慰呀！
我表着同情的心，縱到了你邊；
我載着心的身，終於到了上海，
呀！C君，面紗是容易揭破的；
還有社會造給我們的障壁，深深隔着呢；
在這障壁的勢力下，異性的朋友隔的更遠。
請你恕我祖先遺傳給我的弱性吧！
朋友間——異性的朋友間，眞不能講愛嗎？

七，二二，于致遠旅館。

臨流

我正在臨流照影，

風吹得波兒皺了。

誰能向流波照影呀？

我正在臨流照影，

風吹得波兒流去。

誰能挽流去的影呀？

變動，流去，

那是生命的影兒，

鑑不定，留不住，

一任伊自然地碰動流去！

七，二八，楡梁溪畔。

心　　音

虛僞將迷圈亂套，

黑暗將重幃頻罩，

悲哀將酸汁屢澆。

啊！過去的游絲呀，

饒赦了我淺狹的心吧？

不禁再經層層的纏繞了！

真實張着浮雲似的手來擁抱，

光明執着閃爍似的燈來引導，

快樂露着火山似的口來呼號。

啊！未來的鈎鉤呀，

饒赦了我柔弱的心吧？

不禁再經深深的誘擾了！

去敲自然的門吧？

美神却囚在白玉的牢籠；

去游情緒的宮吧？

愛神却蒙着黃金的面紗。

啊！可憐的心呀，

可憐我孤獨的心呀！

張着血爪的宇宙呀，

讓我開着紅之花吧！

八，二〇，于[illegible]。

繁　　響

(一)

秋雨雖是繁響，

滴得我的心弦靜了。

(二)

莫厭蛙兒濺濕了衣裳！

自已先蹴驚了青草！

(三)

秋意終是要來的，

蟬兒却不肯停了最後的一聲。

(四)

要捉住夢中的事嗎？

醒時的事正捉不住呢！

(五)

請先毀滅了你的身；

你要毀滅你的影呵！

(六)

酒的眞味不知究怎樣？

因爲我要辨時早醉了。

八，二——二八。

宜園的秋痕

——偕郎文虎王璽常——

穿過假山幾簇，

渡過石橋幾曲，

到得湖心亭，

且省省我們的倦足。

醉透的是荷花雨，

狂透的是楊枝風，

游秋園果韻，

儘意了也太狂呀！

微　痕

竹兒嫌太瘦，

蘆兒覺太高。

秋意到底蕭騷，

那堪心意更蕭騷；

倘得如西湖一般，

將只槳子來划划，

不更形消趣嗎？

可要饞魚兒的秋興！

茶是解渴的，

不是澆愁的。

少裝些傀儡了，

讓我臨湖瀉淚吧！

秋雲是靠不住的，

伊點綴了秋的美，

也能暴露了秋的醜。

我們的心切莫學秋雲！

八，三〇，于南潯。

懺悔之音

說我有知識欲，

無甯說我有幻想吧！

不肯腳踏　地去躋上泰山，

却伏着枕兒想日出的壯麗；

徒然呀！

人生縱使虛空的，

也不可過負了虛空的人生；

何況自我固儼然存在，

怎得不實現呢？

醒醒吧！

黑甜的夢，

捉不住的。

佔了空間，

也得留些痕跡了。

血痕也好，

淚痕也好，

只夢痕是捉不住的。

聽聽繁瑣的秋蟲，

年年在秋聲後遺着餘韻，

默默地死去，

連生時的哭聲都孤負了！

可憐兒的楊柳，

還向西風舞一回，

人生竟不如楊柳嗎？

九，七，于一師。

誰 能

誰能使玫瑰不生刺，敢怕痛苦嗎？要刺出心頭的血染深花的色。

孤獨的我的心，也只配放在玫瑰刺上，不願安在桃花瓣裏。

玫瑰花的香，我期待着，又不敢感觸着。倘使香能醉的，雖是花香的醉，終醉了我心；

放上刺兒流不出血時，花兒也要灰色呀！

與其醉在花裏，不如死在刺上•醉了，那堪醒呢？死了，我的靈魂好永遠附着血兒，染上花兒•

好使觸着我血染過的花兒的伊，也刺着了伊的心頭•我的靈魂的血，要永遠滴在伊刺痛的心頭！

九，一九•

隔了一層

隔了一層的清晰，還是不隔的清晰？

我要謝謝眼鏡的破碎，那纔是我眞實的觀察，那纔是我觀察到了眞實的世界，眞實的人生•

一切都幕着灰色，灰色是眞實吧——模糊的灰色是眞實吧？

世界是動的，是靜的？我只見了灰色的霧；人生是樂的，是苦的？我只見了灰色的點。

啊！鮮明的色采，本是灰色的幻像；清晰的形態，本是模糊的餘影！

要知視綫有射不進的時候，視野有及不到的事件，要除非模糊的灰色，灰色的模糊！

九，二一，破眼鏡後書。

憤　　言

世界只是情感的結合；理知，不過死神手中的刀罷了，生生把情感的生命殺了，空剩着理知的枯骨。

羞啊！怯啊　理知的枯骨竟堆滿了情感的世界，石化的人生，只配永埋地層之下！

當情感水樣奔放，遇了石子，更激得汹湧些；情感火樣燃燒，加了風兒，更吹得炎耀些。

要除非趨向墳墓的人，耐得住冷酷和慘黑的理知。

九，二四。

狂　　人

啊！你與其懺悔在墮落之後，不如制裁在墮落之前——那終是疲弱的哀音！

過去的　過去了，用什麼懺悔？未來的，未來咧，將怎樣制裁？

只有現在——只有一剎也指不出的現在，

做吧！做吧！狂人是世界的孺子呀！

九，二四，自警。

小　　詩

我折一枝木樨給伊：

你愛着黃金的色，

愛着甜密的香吧！

伊摘一朵玫瑰給我：

你愛着花的甜密，

愛着刺的痛苦吧！

九，二五。

雨　　意

雨意濛濛，
心意也濛濛，
秋風吹不住，
剩得淚眼矇矓。

雨意太濃，
愁意也太濃。
憔悴楊柳，
擺煞西風。

九，二六。

秋意如此呀

兩池殘荷，尙留得澆碧片片。
縱撐不住雨點，也許承得住露珠。

荷葉有什麼成心，秋意如此呀！

沿階蟋蟀絕不識疲勞是什麼，

一聲一遞，可勤蕩了多少人生的疲勞。

蟋蟀也有什麼成心，秋意如此呀！

九，二六。

殘忍的人生

我折了一枝黃金的桂，又采了一朶赤血的菊。

人生的殘忍呀！你能散一些黃金給人們嗎？你能洒一些赤血爲社會嗎？

要只有執赤血淋淋的黃金之刀，把弱者一個個淅着血兒。

可人！我眞佩服你肉的手，能提得起這把刀：然而我已輕輕地從枝頭折下来下了。

殘忍的人生呀！

九，二六。

我 敢

驅擾的魔力，

毀壞的病根。

我敢咀呪記憶嗎？

正追求着膜上的遺影！

欺騙的網幕，

誘惑的鈞鉤，

我敢怨恨想像嗎？

正期待着夢中的微笑？

九，二六。

夕陽的無情

晚霞是伊的羞暈，

因爲給夕陽偷覷了。

伊正走向平湖照影，

夕陽又把鏡幕下了。

九，二七，于道山。

只要你有……

流雲多飄散了，

小星也隱沈了，

只有晶瑩皎潔的明月，

嵌在深藍的天空。

痴痴地昂頭的人們，

誰不動欽羨愛慕之心？

然而月的光是不能佔有的，

只要你有伊一樣皎潔的心，

伊何嘗不夜夜照臨你！

梧桐禁不得風了，

菡萏擎不住露了。

只有木樨的温香，

馨動在微涼的空中。

團團地站着的人們，

誰不動攀緣摘擷之心？

然而桂的花是不能執取的。

只要你有伊一樣溫香的心，

伊何嘗不時時氤氳你！

一〇，六，——中秋後一夜——有寄。

楞伽之行

（一）

人生太寥寂了，要只有塵俗間的喧鬧了。

一座冷清清淡幽幽的楞伽山，早蟻般騷動了多日。

我們都是窮漢子，幸而都生是健足者，沒有沾滿汗的銅錮，流些汗兒走吧！

藹雲，我，和三個不十分親熱的朋友；然而短旅行中，——一個同情的短旅行中，我們的感情，早借着汗的滲透而互露了。

(二)

夾着稻的田塍，披着草的御道，恰給我一個對比的感想。

纔穿過了橫塘烟兒裊着，聲兒噪着。

一個個帶着祈求的心的人們，匆匆進着；

一只只載着游冶的人的船兒，緩緩蕩着。

團緊些！團緊些！那是騷擾給我們的警告，我們向前心的縱不同，我們的手摻住了。

(三)

行春橋頭的滯了，我們的脚也站住了。

看！看！一只只魔舞的船兒過了。

你何必托着黑銹的刀鏈，紫銅色的身手，

早使我欽羨你壯健的精神。

終歲的辛勤，有多少快樂啊！欽羨的人們呀！不要僅做上方菩薩的犧牲去！去！鏟去一切壓逼你們的威權！

(四)

啊！呀！那處是我們的去處？一疊疊一堆堆的人們，可憐的多，可愛的少，親蜜的觸接，只多得仇敵的反應。

呀！我們是甘居弱者，讓你們傲慢些吧！

和尚寺裏的清茶，鎮鎮我們耐不得的心兒，旅行中一點茶，是我們最大的祈求，和尚不要失望了。

(五)

還是絕頂去好，血淋淋的慘影，可嚇軟了我的腿。

一樣的祈求呀！看坐着山轎的奶奶小姐！祝福嗎？造孽了，擡着伊們的人兒，氣喘着了汗流着了．

呀！一樣的祈求呀！

(六)

絕頂也佔滿了烟塵，我的淚兒無意識地流了．

石湖與豔福，細膩的歌吹，倩麗的舞影，唉！這原是我的妄測，石湖却厭倦得眉兒皺了，這元是詩人的石湖呀！

還我人間，還我人間，我們只配搭着小渡船兒歸來了！

一〇，八，歸校後書．

落　葉

秋風太忍心了，

生生地把伊從他的手中奪去了。

還不讓伊長埋地下，

流離顛沛的生涯，

那堪這沙沙的哀怨之聲？

可憐他空張着赤裸裸的手，

只抱着些——

淚流後的露滴，

心碎後的霜粉，

隨着水流的伊，

莫再流過他俯着的溪旁！

憔悴的面龐，

不要使他見了發戰嗎？

當伊給人們踐踏時，

他直痛心得移不動脚兒，

哀憐伍倆的只有寒蟲，

夜夜在伍倆脚邊哭着。

伊被人們壓逼做竈下薪時，

益顯出伊熱烈的感情。

啊！我愛！我倆一同死了罷？

不，

一冬的風雪不冷了你的心，

那時摧殘我倆的，

要給我倆笑了！

一〇，九，于蘇一師。

秋　愁

秋愁一定潛伏在寒蟲的翅下，

當伊徹夜振動時，

我含着秋愁的心，

也徹夜振動了。

秋愁一定蘊藏在種子的殼內，

當伊鎮日靜默時，

我含着秋愁的心，

也鎮日靜默了。

春風一吹來，

寒蟲的怨聲絕了，

種子的嬌容笑了，

含着秋愁的我的心呢？

那堪怨絕褰颾，

末由嫣笑呀！

一〇，二〇．

重九登道山

（一）

遙望白雲之下，

是我的故鄉，也是伊的故鄉．

但可愛的翠螺似的萬峯，

竟做了可憎的一層屏障！

啊！我在吳門，更不知伊在何方？

碎得絲絲的心兒，只在空中飄蕩．

（二）

飄飄地一葉梧桐，

恰打着我佈滿傷痕的心田。

啊！忍些痛吧，

切莫訴向人間！

(三)

也想最登高些，

好避避人間的煩惱。

徒然�呀！

高到白雲鄉，終是願倒。

歸向人間，

飲飲煩惱之瓢吧！

(四)

我送伊的木櫃，

已枯黃粉收拾。

看徧地黃花消瘦，

更怎忍折得？

就折得幾枝，

又寄得淚珠幾滴！

一〇，二八。

怨 歌

你忍心地把玫瑰收回！

啊！你縱收回了花的香甜，

可已刺痛了我的心呀！

收回吧！

你終是我終身的咀咒者！

我是被秋風摧殘的黃葉，

縱發着最後的哀怨，

終于埋入地層下了！

衰殘的荷葉，

還有清朝的露珠涵潤，

枯燥的我呢？

柔弱的心兒，

讓伊隨着淚河流去吧！

可千萬不要沾了伊的淚滴！

可憐的寒蟲，

靜靜吧！

秋風是永不同情于悲哀的！

同病的影呀！

你終能伴我到末日嗎？

我的安慰者，

只有我自已的影了！

醒醒吧！

淚的血，血的淚；

不要向枕邊流呀！

我甘心擠出愛河了，

可不敢傷了悲痛的歡笑。

被損害者正期待着呀！

無母之兒

我是初浸的蜜餞荔枝，

嬌柔微弱的身兒，

怎禁得微蟲的侵襲！

啊！誰開了我的蓋呀？

十一年來的蒸發，

蜜汁怎不乾燥？

我也哀求到現在，

可永沒有被死神奪去的母親的甘乳了！

從罪惡之流得來一些水分，

只助長得汚黑的黴苔；

柔潤鮮瑩的身兒，

却沾染了深深淺淺的灰痕！

可憐血赤的心、

也煩悶沈痛得將要破碎了！

母親呀！

再用你廿年前撫我的愛慈之手，

抱我一抱呀！

沒有你的眼光射着，

什麽多醜惡了；

沒有你的手指按着，

什麽多虛僞了；

沒有你的心血灌着，

什麽多憒疾了！

你可憐我的孤弱，

把我帶到荒涼的隴頭吧！

用你生前未枯的乳，

潤着我血赤的心，

長成棵只有長青之葉的荔枝，

爲你蔽了恐怖的風雨，

爲你破了冷寂的黑暗。

讓荆棘做我的舞伴，

鴟梟做我的歌侶吧！

不敢——也不願再結荔枝兒，

横被人們蜜餞了！

一〇，三〇。

悲哀的愛情

愛情深深藏在碧玉的芭蕉心裏，

露珠——也許是快樂的淚珠，

甜蜜地潤着柔情之心，

雨點縱使威虐地打着，

捲藏于蜜的心弦，

依舊永永靜穩着，

……………………

驀地冷酷的秋風一颳，

啊！破碎了　破碎了！

一片片破碎，一絲絲破碎了！

愛情竟披上了悲哀的黑衣，

橫吹上白雲之巔！

鮮豔的霞光，

伊所歆羨的霞光，

秋風却不讓伊歆足了！

流雲也知奔波得疲倦，

伊終被秋風復吹落——

吹落到黑暗的夢河之中•

……………

痛苦的回憶之影，

一幅幅從伊心膜上揭過；

淚 流枯了，

血剩最後的一滴•

伊的快樂的想像呢？

竟挾着泥沙流去；

流去，流去，

流入陰幽之壑！

……………

漂泊的黃葉，

含着苦笑過去；

流到冬的故鄉，

有皓潔的雪覆着。

待得春風一吹，

他們又與戀人携手了，

但是——但是黑衣的伊，

直被秋風掠到了枯燥的沙漠中，

一粒粒含着酸性的沙，

侵入了伊柔弱的心，

最後的一滴血，

教一粒粒的沙，

開一朵朵的花吧！

然而流剩的星眼，

已哭暗了；

光輝的月鏡，

也只沾滿了淚暈。

不能了一切不能了，永遠不能了。

………………

啊！啊！夢痕，夢痕！

埋入死的墳墓吧，

人生又把着鋤兒掘開，

悲哀的愛情，

仍飄蕩到人間，

飄蕩到人間弱者的心田！

一〇，三一。

迷　　惘

一個個赤裸裸的人生，

脚和脚鎖着鐵鍊，

一隊隊迷惘地走去。

灰褐色的无，

在左邊耀着，

人生鏗鏘鏗鏘爭着跑去。

啊！黑暗了，

人生的痕跡模糊了！

焦枯味的香，

在右邊薰着，

人生鏗鏘鏗鏘爭着跑去。

啊！腥臭了，

人生的聲息絕滅了！

恐怖呀！

悲慘呀！

墮落的人生。

前進吧？

前進呀！

啊！啊！

洶湧的白海，

熱烈的火山。

後退吧？——

刀兒斫上來，

鞭兒抽上來。

進呀！——狂進呀！

狂風吹過處，

翻着血浪的海，

濺得大他紅了。

從火灰裏飛起來的髑髏、

悲壯地叫着：

人生的歸宿，

海那邊！

人生的歸宿，

山那邊！

——，—.

別 後

別後的深思，訴與誰知？

試訴與當頭明月，默默無辭；

試訴與足旁流水，悠悠長逝！

別後的幽恨，可有誰問？

試聽那露兒密語，淚珠卒凝；

試聽那寒蛩低唱，怨聲怕聞！

——，—，于一師.

秋之植園

冷寂外只有秋風，

孤獨外只有牧童。

秋之園呀！

你又得和冷寂孤獨的我重逢！

但你長青的竹呀！

請饒恕我的心胸！

往常是長青的我倆互倚，

者番是枯黃倚你青葱！

因爲我比你多一顆被棄之心，

請饒恕我心意的不同！

唉！我早不該任伊遺棄，

何不安在荷花盛放的心中？

待得採向人間，

也好使人們識得心內的苦衷．

徒然的，

看飄零溪中的枯黃落葉，

只受着蘆葦的嘲笑譏諷，

一瞥的斜陽挽着衰柳的輓圈，

唱誄辭的有淒淒切切的寒蟲，

黃葉呀！一切秋之黃葉呀！

請把我被棄的枯黃之心——

永埋于冷寂孤獨的秋園之叢！

——一，二，于植園．

南園漫步

(一)死的歆羨

一坏坏荒土凹凹凸凸，

一叢叢衰草短短長長。

長眠的人呀！

你們已是不相識的朋友，

我們更漫意的遇了你們了。

淒涼落寞，慘怛唏噓。

擁着傾欹的碎碣的同伴，

已厭着你們佔了多少乾淨土地。

但是——

試看人間，

已擠得我們夠了。

我願橫下來了，

讓牛兒躑躅，牧兒跳蕩；

更護那臨去的斜陽，

戀戀地接着最後的一吻！

(二)生的疲弱

澆着菜的農人，

一勺勺，一勺勺……

不耐臭的我們，

現着羞澀地掩鼻的醜態。

去休·

進一步——

小橋流水最是詩人的韻趣。

尺來闊的破板橋，

可嚇得我的腿兒軟了。

啊！

城市的街道竟走得軟腿的。

莫怪從未見過疲弱的我們的黃狗，

汪汪地追着吠了．

狗兒呀！

饒恕我們吧！

我們是不帶田主的威權來的！

(三)自然的恩惠

碧玉的菜，

黃金的稻，

慈愛的地婆賜給佢們——

勞動後的安慰．

晚霞的絢爛，

微風的飄蕩，

仁厚的天公賜給佢們——

疲倦後的愉快．

流溪中小魚唼影的細碎聲，

一點點粉紅色的蓼花，

擺呀擺地互拍着手兒；

那是伍們偉大的娛樂所。

踏在我們脚下的衰草怨了：

拿不得鋤兒的，

羞呀！走吧！

——，三晚。

寄給誰呢？

悲哀的回憶，

痛苦的沈思，

一點點一條條的傷痕，

移上心兒，

把新痕舊痕　疊疊摺起，

黏上夢的封皮。

但是失了伊的我的傷痕，

寄給誰呢？

一，四，于一德里宿舍。

自　　從

自從你在花下給了我悲哀之杯，

一飲就血沸，

直沸得血燒了。

燒呀！燒呀！讓愛情燒死吧！

自從你在夢中授了我煩惱之枕，

一倚就淚流，

直流得淚兒枯了。

枯呀！枯呀！讓愛情枯死吧！

——一一，五〇于師校

稽 五 漾 中

俯仰那空空的大圓，

看紅霞變幻，

　　綠波幻變。

人生的美嗎？

也只是晚霞之紅一瞥；

人生的愛嗎？

也只是流波之綠一點。

有誰？——

使紅霞不滅；

　　綠波常住，

看——看夜神來了，

紅的黑了，

綠的也黑了！

憧憧的黑影，

就是人生的真嗎？

人生元只是悲哀和恐怖！

一一，六，晚舟中．

秋　　容

一晌眼，

秋容已老了

看徧地黃葉漸離稀，

無庸再掃．

只剩瘦削的枯枝，

朝朝嚴霜飽．

更那堪醉了楓兒，

冬意安排早．

衰楊尙掛着斜陽

獨聽那歸鴉煩噪．

我的心，

不怕冰雪冷透，

翻怕秋愁顛倒．

漫登道山凭眺；

那處，

那處，

究竟那處凝眸好？

一一，一七，于道山．

憶

憶匆匆相見，

你也無言，我也無言。

無言——是否留作別後的相思？

但縱使見時傾吐，

說不盡的相思，

依舊留在。

說不盡的相思，

憑誰寄？

有郵筒，

爲你我相通。

可是你沒書來，

教我何從寄？

覺寤時的相思，

還好夢裏相訴。

到如今，

夢也不來，

才覺相思苦。

忘情嗎？

不是你，

無音的心弦，

早給我絲絲蜜意；

最後的點頭，

又給我兩靨微笑。

啊！

絲絲密意，

勝如滿紙相思字；

兩靨微笑，

勝如夢中珊珊影。

但是——

兩靨微笑，

只化作我淚兒點點；

絲絲密意，

只碎得我心兒片片。

一一，二二。

一　　聲

一聲尖厲的汽笛，

震得我的心兒碎了，
啊！火車兒，
你載得離人，
怎不載將離愁同去？
你留得離愁，
又怎不留取離魂同住？

一聲清銳的車鈴，
望得我的眼兒穿了。
啊！信囊兒，
你遞了多少相思，
怎漏了伊沒相思的字兒？
你走了多少地址，
怎擱了我沒地址的書兒？

一一，二三，于蘇師校。

同情的尋覓

我匆匆走入田間，
割稻子的伍們，
定了我　眼，
再不回過頭來。
啊！
你們錯怪我了、

我輕輕步近小孩，
呼' 咽了，
笑臉斂了，
驀地逃了躲了。

啊！

你們錯怪我了！

我深入幽林，

捎翎的鳥兒，

遠遠飛去。

啊！

誰扯下些毛血呀？！

你害了我了！

我漫游小溪，

唼影的魚兒，

深深藏住。

啊！

誰下着些鉤網呀？！

你害了我了！

一．一，ご八，于一師○

失敗後的安慰

當我勝利的時候，

讚美我的也有·

畏懼我的也有，

趨承我的也有，

……………………

但是失敗以後呢？

…　……………

哦！我不希望勝利，

只祈求着失敗後的安慰了！

一二，三，于一師。

深夜之聲

每逢深夜失眠時，

常聽到

墮落的淫哇，

疲憊的酣唾，

勞動的嘆息，

痛苦的呻吟，

……………………

但我總沒有聽到，

溫存的安慰，

狂熱的呼號。

啊！朋友，

你要聽玉露的細語，

須親到花間去，

你要聽海風的狂嘯，

須親上山頂去。

你要招着已傷亡者，

到花間去笑呀！

你要引着被損害者，

到山頂去叫呀！

一二，五夜，失眠後。

蜜蜂的死

熱烈的陽光，

一綫綫戟刺伊的眼睛，

清冷的冷香，

一陣陣傾動伊的鼻膜，

伊的生命之力飛展了，

伊的生命之音歌唱了。

光的生命呀！

香的生命呀！

伊向前要求着了。

啊！一層微薄的玻窗，

竟隔絕了伊生命的光，

　　　　　生命的香。

飛着，飛着，………

唱着，唱着，…… …

可愛的光和香呀！

力——飛倦了，

音——唱咽了。

小翼兒歛了，

低聲兒歌了。

伊終于孤零零冷寂寂地

死在一層微薄的玻窗下了！

一二，七，于國文教室中。

茶肆中

我始終不了解，

他們有多少討究的事情？

一碗碗的混水澆下去，

吐出了些什麼呢？

我仔細地傾聽着，

始終沒捉住他們的話頭，

一翕一張的嘴唇動着，

一舉一落的手指劃着。

覺得他們太忙了，

又覺得祂們太閒了。

有時再雜些高抗的呼聲，

和破碎的笑聲，

休息嗎？

娛樂嗎？

他們帶着疲勞的色采走了，

他們帶着沈抑的現象走了。

啊！這是一個什麼的集合呀？

一二，八○

枯 葉

放着嬌紅的花兒，

何處得不到人間的同情；

結着嫩綠的果兒，

何處得不到人間的知心。

而今只剩幾片，

幾片枯殘的葉兒了，

同情的知心的人兒宛在，

可是同情的心，

早移向別的嬌紅；

可是知心的情，

早移向別的嫩綠。

啊！我只求一個認識枯葉的心！

一二，一八。

何　苦

剪噪的雀舌兒，

你太惹人厭了。

既不肯爲我傳了一言，

何苦噪得我心煩？

善飛的柳葉兒，

你太惹人恨了，

既不肯爲我寄了一字，

何苦飛得我心愁？

一二，一，于九齋前。

植園碎影

(一)

瀟瀟的綠竹，

滿佈剝劃的舊痕。

人生的竹子上，

不一樣刻劃着嗎？

(二)

小孩子的頑皮，

燒得草場上，

許多焦黑的斑點。

誰沒有斑點呢？

看春來一片新綠！

(三)

遍地的枯葉，

也供給了窮人，

幾頓柴料。

羞呀！

人生的枯骨呀！

(四)

梅花縱先占了春氣，

終是弱者，

爲什麽屈服在

冬之勢力下呢？

(五)

寂寂的園林，

不曾聽得鳥聲。

噪陽的雀兒走了，

暮鴉沒有歸呀！

(六)

枯黃的蘆葦，

赤褐的浮萍。

夕陽一照，

也美麗呀！

（七）

寂寞的枝兒，

你們是怯着冬呀？

還是懷着春呀？

（八）

從未經過騷擾的魚兒，

易入漁人之網呀！

（九）

水底的晚霞，

給一片石子打破。

等得波兒平，

巳非舊影了。

一二，二五。

別　後

水底一輪圓滿的明月，

被濁浪生生衝破。

一片片的碎影前流，

還　閃閃向舊影回顧。

啊！我的心呀，

也被伊的淚波衝破了！

絨氈似的霜花，

給金黃色衰草掩住。

我要從伊溫香的懷，取回了我的心，

放在沈寂而冷酷的霜花深處，

我不願做黃金時代的幻夢，

只願把破碎的心兒凝住！

一二，三〇夜，由平返蘇。

這元是

淚兒各流在我倆的枕邊，

只留了相思的痕兒；

淚兒互流到我倆的胸前，

那擔傷了離別的心兒。

啊！這原是個甜密而痛苦的相遇呀！

你願化了我袋中的巾兒，

拭了我別後的淚珠；

我願化了你枕上的夢兒，

　聽了你夢中的笑聲。

啊！這原是個痛苦而甜蜜的相慰呀！

一二，三〇夜，輪舟中追憶。

日 曆

一束束無聊的日曆，

不假思慮地扯完了。

就傾盡了字簏，

也只找到破碎的遺痕。

一束新日曆又開始了，

我的手却痙攣得舉不起了，

過去縱沈淪了，

將來可不懺悔嗎？

在沒有舉手扯時，

應思慮着：

將怎樣處理我的生活？

將怎樣安全我的生活？

將怎樣開展我的生活？

……………………………

當日曆一頁頁少下去，

生命曆要一頁頁增加，

可羞呀！可怕呀！

日曆扯剩一片微薄的底紙時，

不要教生命曆也只剩些破碎的遺痕呀！

一九二二，一二，三一，于蘇州一師。

冬郊的沈默

灰黃色的斜陽，

懶洋洋地，

倚着瘦透的枯枝上，
十幾隻倦歸的烏鴉，
黃葉似的黏着。
遙遙地幾片殘霞，
抱着暗淡的炊烟，
朦朦欲睡了。
一畦畦的田塍，
翻着乾燥而憔悴的顏色；
一灣灣的溪水，
凝住了幽美而清揚的歌調。
只有一堆堆一凸凸的荒塚，
閉着沈默的陳人；
也只有一簇簇一叢叢的衰草，
祭着悲哀無聲的我！

一九二三，一，六，于南郊。

生命之花

向惡魔的內取回了生命之花，

涵泳在你們微笑的皺渦中。

展着光明而愛美的瓣兒，

花和花間的溫香相融。

滲透那不相干的一切障壁，

相互地煦成了春意濃——穠！

一，一〇，于灘師。

一個好教訓

嘔不得氣的青年，

偏自一鼓勇氣，

揎起袖來，裸起臂來，

我們也是勞動者呀！

你滾刷子，我抽紙兒，

我們也是合作者呀！

一張張印過去，

一張張油污了；

一張張油污了，

還是一張張印過去，

字跡兒清楚了，

紙張兒乾淨了；

印的純熟了，

抽的迅速了。

僵着的手兒，

給成功掌煖氣溫住了，

酸着的腰兒，

給成功的毅力撐起了。

一張張過去，

一疊疊堆起了！

嘔不得氣的心兒，

怎不把貪鄙的工人怨恨？

我們終是原諒他的要求，

幷且感謝他給我們的好教訓：

“自己要的，

自己做去！

自己做了，

自己才得！”

一，一七夜，於白露社。

旅　路　中

啊！誰不在旅路中？

何時不在旅路中？

今日的我們，

只不過換上了顛簸的旅路罷了。

凝着愁的天空，

泛着怒的河面，

這些本是旅路中一切運　的支配者；

看衰草的顦顇顏色。

聽孤鳥的慘悽聲調、

這些本是旅路中一切生活的伴侶，

啊！汽笛一聲，

我們又要換上嶮崎的旅路了！

一，二八，蘇湖輪中·

半　淞　園

——偕侯可九孫綺明——

剩孤阜上的枯枝瘦削，

留着絕滅的倩影餘痕；

剩小溪中的殘流咽響，

留着消歇的細語餘音·

滿園林的陰沈風雪，

怎挽得住繁豔之心？

我們要來看沒剪取的半江淞水，

可保持了他清冷之情！

二，七，于滬南·

新年歡樂歌

楊柳兒已青青，

灰色的人兒依舊。

梅花也應笑我，

笑我心比梅花瘦。

春風儘吹遍人間，

怎吹得煩惱底人兒的，

　　　悲哀底心兒透？

唉！休！休！

什麼宇宙的光花愛，

於我本何有？

來時空空去也去，

自笑眞如一芻狗。

偷偷默默爬入墳墓中，

那個膿包不曾朽！

二，二四，于榆梁○

冷香一函

——寄 T. C.——

你們只不過寶富罷了，梅花是清冷的呀！謝落後去也何妨，怎的累得沒錢的我們焦着心呢？墓也似的燈船拖着，不要教梅花望煞我們嗎？你們好早些安葬了呀！

兩次相識過的豔巖，又露着笑靨迎我了，對不起，謝謝你！不是我無情，也不是我遐愛•你們多是我的愛人，讓我去看看沒見面的的姊妹吧！

斗也似的快班船，我們索米一般的擠着。爲了愛伊，怎顧得肉體的痛苦？我要羨着善人橋跳上去的客人，但佢們本不認識伊的性呀！

好了！不知名的青山，已靜立着凝望；痴情的我，也定着眸兒凝望，一步步近了，心一顫顫跳了，那不是欣慰而胆寒，只是樂極的反動。

尋梅旅館，怎關得住念伊的心？走呀！走呀！見了伊再來安息，見了伊才得安息，等着我的梅花，也許望眼早開了；不要再破碎了伊的心呀！

銅觀音寺裏，舍利塔下；那是古蹟的魔力，引得我去看了看，破壞了，破壞了，啊！愈破壞愈是古的象徵的呈露嗎？佛旣默默，塔更何言？

虎山橋頭小立，看兩崦淸流，也靜了靜我躁急的心兒，虎山寺的老道，也許更指示了我生命的旅路。可惡的狗兒太欺人，嚇得我們逃了。

走入鄧尉社廟，梅香已招我了。啊！你是伊的梅香嗎？請恕我倦弱的身兒，只能在沒名兒的亭中暫憩，斜陽已瞥過了山巔明早來吧。

三，五。

那是鄧尉嗎？怎不見伊迎我？那邊是，那邊也是，啊！『其中綽約多仙子』，我竟俗了，給植園的梅林染俗了！低頭走了。

司徒廟裏，早找不到鄧禹的遺蹟，四五枝老柏樹，却做了個引人的幌子。『清奇古怪』，偏有來賞識了『清奇古怪』的人呀！牠們也只能處在亂山中呀！

意想的香雪海，只見得了一個未完成的梅形亭。不波的海兒，香雪何有？一點點，一點點，……那是伊窺我的星眼吧？香元是昏，我心鼻領到了。

石壁我何喜？只愛洶湧的太湖，如我心潮一樣。我的故鄉，伊的故鄉，穩約在灰綫的那方，我試手弄湖水，也許傳這波兒，動着伊的心浪！

彈山的石樓　竟不是石，無怪萬峯臺只不過一堆石了。我們元只是領路人的傀儡，他的嘴兒唱着，我們的脚兒跟了他上下跳動罷了。

走慣了人造路的，怎走得自然的山徑，繭着足的石子　也許增了我一番旅蹤的閱歷，長岐嶺終累得我汗流了。但是爲着伊而流汗，誰也情願呀！

聖恩寺的和尚眞多情，請我們看了剃經經鐘拓本，又請我們吃了素麵，中恕和尚眞多情。但是我們謝了他一些不成句的詩，還謝了他成塊的錢咧。

法華鐘樓的小和尚，對我們痴笑了。啊！我又羡煞你了，竟不關心伊的淚雨嗎？但我是耐不住春意的，洪鐘聲裏，翩然走了。他怎識得離情別緒。

三，六。

鄧尉歸來的禮物有什麼？冷香一函，敢以贈你 願你記住：香是冷的，冷是香的，雖只一朵破碎的紅梅，却是我的心的徵象，你願意收嗎？

三，八，寄自蘇師。

春　　雨

枯燥的泥兒蘇醒了，

含笑的山峯却籠着愁咧。

打得梅花的心兒粉碎，

柳枝却披上了鮮明的舞衣

啊！春雨呀！

教我咀呪你還是感謝你?!

三，一七。

小朋友給我的感想

啊！小朋友呀！

我得感謝你們，

感謝你們把熱笑的鋤兒，

鋤去了我心田的稂莠。

赤子的心苗，

於今復活了。

哈！哈！哈！

悲哀的稂兒芟了，

痛苦的莠兒燒了。

澆着你們無愁之水，

我的血花蓬勃勃地開了。

但是我又恐怖了，

要是我失了你們的栽培，

一顆孩兒的種子，

不仍要陷落在社會的深淵嗎？

小朋友！

願我着握着手，

永遠握着手！

三，一九，於一師附小。

自盤門到胥門

（一）

錯亂的煤屑路上，

永遠找不出我來往的舊痕了。

故鄉人的口音，

分外激刺我的感官。

『啊！那不是他的行裝嗎？』

『他的父親死 』。

『啊！死了嗎？讀不得書嗎？

『讀書是什麽一回事？』

死又是什麽一回事？』

傾頹的瑞光塔尖，

留着一瞥的斜陽，

解答了我的一切疑問了。

(二)

如畫的青山，

偏啣着半輪血日，

與門橋頭已站不住了，

激箭似的運河，

更給了我悲哀的印象。

輪舟鯨魚般衝過來，

什麽船都泊住了。

可憐拍着槳的江北划子，

幾乎把枯朽的船身蕩碎。

兩岸披舖的餘波，

還似笑着弱小者，

啊！生命之流中的渡船，

何嘗不如此呢？

我們只得受着

社會之波的蕩碎了！

(三)

陰霜的灰塵，

籠罩着半黃半青的馬路。

黝黑的茅草棚，

牛矢般的堆着；

枯憔的黃包車夫，

倚着破敗的車兒打盹·

呀！朋友！

這是青陽地，

這是誰的土地？

你要僥倖他們的失敗嗎？

你不感到誰的社會的荒涼嗎？

(四)

老鴉似的伊們，

已把胥門一帶棲滿了·

餓鷹似的車夫，

露着黃牙調笑着·

這是伊們的生活嗎？

這是他們的娛樂嗎？

木雞似的警士，

早已看慣這樣夜幕了。

三，二〇晚，偕惺剛行。

筲秋霞

梅花片片兒飛，

半已埋入黃土。

孕着春風的杏花，

也紅暈泛了。

我們的音書，

却還是枯葉下的種子，

沈嚣着似。

你也許如弄吭的好鳥，

正忙着感受春光；

我却是柔弱的淺草，

到處有人踐踏。

我想這些草也似的書兒寄你，

你或肯賜還我幾聲淸幽的鳥唱！

三，二〇夜。

得伊信後

最痛苦的是肉體的病，

最痛苦的尤其是精神的病。

我倆早病着精神了，

怎的你又病了肉體？

啊！眞不如快心地死的好！

我情願死了，

把一切病的感覺除掉了，

再不是爽性你死了，

把一切愛的繫戀割絕了·

可憐我倆始終是做不得主的小蟲呀！

可憐我倆始終是受勢力支配的小蟲呀！

只得呻吟在病態的社會中！

只得轉側在病態的勢力下！

三，二二，于一師·

謝落後的杏花

謝落後的杏花，

絕不ㄏ露一些死的恐怖·

穿了粉紅的殮衣，

很安適地葬在玉碧的草叢·

含笑的遺容，

益惹得人們餘戀深愛·

但是人類呢？

誰是被春風吹開，

　　被春風吹落？

冷淒淒的黃土隴頭，

誰願徘徊不去？

啊！人生的歸去，

竟不如伊死後的美嗎？

四，三，於窗前。

旅　客

(一)

同是一個旅客：

有的閒倚在安樂的榻上，

有的飽吸着煙囪的煤灰；

有的還着傲慢的威儀，

有的做着踽躇的醜態。

哦！那是金錢的罪惡，

　　那是金錢的恩惠！

　　（二）

出來時的故鄉，

尚帶着顛頷的黃色，

歸來——歸來已是春深了。

葱靑翠綠的兩岸，

夾着一溪漲足的微波。

偶瞥見村家三兩桃花，

又嬌羞地躲了。

拂呀拂的陽枝，

抱住了春光游戲，

酥醉嗎？

憔悴的我也酥醉了！

(三)

啊！稽五漾中，

眞是絕好的葬地呀！

激蕩的波兒，

做了我的殮衣；

游曳的雲兒，

做了我的棺槨；

靑草綠樹排成的圍岸，

做了我的坟山！

(四)

爲念着姊姊的微笑歸來，

家庭却哭喪着臉兒對我。

高高的樓兒，

厚厚的門兒，

這是囚籠的裝置吧？

煩悶——狴犴般露着；

悲哀——枷鎖般響着。

唉！我悔我歸來，

我歸來爲念着姊姊的微笑呀！

（五）

我們已做了十二年無母之兒，

受盡了人間的悲楚。

到而今

更感到狹小的囚籠，

比廣大的地獄難處。

去休，去休，

我只帶着你的微笑走了！

淚吧？

切莫渾灑；

我最後的一日，

需要你咧！

(六)

明知伊又候在窗前，

我怎忍得這悲哀的暫見。

月光煞是多情，

照澈我倆相望的心兒。

伊頻頻顛着頭兒，

我般般揮着巾兒。

恨無情的輪舟，

橫把我倆分離！

(七)

朋友何嘗不多情，

也會親親熱熱地談笑，

也會忙忙碌碌地酬酢，

啊！這不過永遠是談笑，

永遠是酬酢。

心靈上的朋友呢？

要不是就在自己心靈中，

定許在宇宙之外！

(八)

去，來；——來，去

人類本只是一個旅客，

駛着汽車在馬路上吃人的是我們，

赤着腳足在荊棘中流血的也是我們，

自然何嘗賜給誰的恩惠，

也何嘗賜給誰的罪惡，

都只是自己找着的旅路！

四，五，寫訖．

青陽地

春風嫋嫋的柳絲兒，

篩了我滿襟疏影，

莫怨那離情別緒太無痕，

幾曾留得住柳絲疏影？

躑躅在落紅成陣的杏林下，

給春意微微酡醉了，

我願匍伏在草叢中，

把伊們輕輕擁抱！

折取了兩三枝櫻花，
讓蕊粉兒黏上胸前，
也好傲傲 屋內的人們，
我已帶得春歸！

四，七．

微 渦

(一)

沈默的心潮給一個微渦盪起了．

(二)

新荷上的水珠跳入湖心，得了歸宿嗎？

(三)

讓麻雀兒結了愛情，杏花願把心兒碎了！

(四)

春在何處？却深深地藏在蛺蝶的翅膀裏。

(五)

細小的紫花，寂寞地開在草叢中，誰是伊

安慰者？

(六)

星眼最流利了，可窺得到春之神祕？

四，一〇，於道山亭。

虞山春咏

(一)山前湖輪舟中

簇簇的淺草叢邊，

點點的白帆影裏，

給我窺破了山前湖的瀲灩之情。
廬山却欲現，還隱地藏着，
正如一封未開緘的情書，
說不出的情緒的蕩漾。

四，一三。

(二)從破山寺到聯珠寺道上

誰說「在山泉水清」？
不見山裏的孩童，
妄指了我們走不得的迷途，
却倚着牛車取笑了，
但我們都是山靈的愛人，
跌入伊懷裏也何妨！

(三)聯珠寺的聯珠瀾

鋪成了白玉之床；

綿延的水滴，

掛成了珍珠之帳，

朋友！他們亂濯着灰塵之足，

我和你暫作黃金之夢吧？

四，一四，寫于寺前街新旅社。

(四)消搖亭品茗

看山的麓梅花，

籠在烟雨之中，

倘湖更在烟雨之下，

從何處尋白帆點點？

呼聲聲鷓鴣頻催，

誰是消搖之翼？

(五)旅邸聽雨

我們決不是狂且的狡童，

爲什麼儘洒着羞怯之淚？

不再作放浪的窺探了，

可也不要再滴得我心琴繁響！

司春之神呀，

讓我們向伊點頭暫別吧！

四，一五。

(六)歸途

含着朝露似的白蓮花，

把我汚染的心靈洗滌了；

舞着春風似的粉蝴蝶，

把我疲困的身軀輕快了。

一羣蒙雨的白衣女郎呀，

恕我沈醉在你們幽幽的默聲裏！

四，一六，於蘇常輪中。

心　　琴

母親是我心琴的琴衣，

橫給黑衣人奪了去，

我早已塵化了。

姊姊是我心琴的琴飾，

又將歸宿于伊的生涯之伴侶，

只剩我孤獨的琴弦了。

咳！孤獨的琴弦，

怎不彈奏着頹廢而悲哀的調子？

四，一六，於一師。

好　　似

好似柳陰下的細草，

一任着得意的人們踩踏吧？

可是我還沒有清幽的柳陰遮護呀！

好似狹籠中的小鳥，

一任着快心的人們侮弄吧？

可是我還沒有精美的狹籠栖息呀！

四，一六，於師．

雨後的滄浪亭

假山上點點的石英，

灑過了雨分外晶瑩俊俏；

鮮明的小草熨貼着，

互相把潤澤的春意感到。

桃花半形零落了，

濃翠的葉兒翻因風微笑，

荷池中偶泛了幾個圓渦，

原來是雀兒的漫飛輕跳．

但是我枯槁的心靈呢？

只有縷縷汽烟的籠罩！

　　被壓迫的身軀呢？

只有層層濃雲的擁抱！

四，一八．

激　刺

啊！你應知道我，

我是 個極易激刺的人，

春雨沒有潤透花蕊，

心蕊早已領受了；

春波才起一些圓渦，

心渦早已振動了，

我是一個極易感觸激刺的人呀！

春鳥自在地歌着，

我只覺伊的驕傲；

春草閒靜地躺着，

我只覺他的柔弱。

啊！我是一個受不起激刺的人呀！

四，二二，於靈澤旅次。

無　　聊

楊花儘着飛，

落在草面嗎？

陷入汚池嗎？

牠不過是一種無聊的飛罷了！

我却耐不住了，

然而終只有在道山儘着走。

追挽殘春嗎？

迎將新夏嗎？

我更是一種無聊的走罷了！

四，二五。

期待的心

看斜陽幾次在池邊留戀，

看明月幾次在柳巔棲縉。

所期待的伊呢？

旣不得字兒一片，

更何有微紅兩靨？

可憐我期待的心中，

只充滿了哀哀——怨怨！

五，一，於蘇州。

故鄉一瞥

俊俏的小姑娘，

在青葱的桑間剪着

啊！如曾相識吧？

爲什麽向我斜睨淺笑？

幸運的蠶兒，

饕飽了伊纖手中的愛葉，

但我——

但我可沒有這許多絲絲蜜意！

五，四，小舟中．

鶯脰湖畔

碧溶溶的湖水，

蒼茫茫的烟雨．

記那次伊俟我湖邊，

縱有發發的北風，

怎吹入得被伊溫涵着的心頭深處？

孤零零的湖心亭，

尙有一二瓜皮艇子沈浮左右．

幽默默的我呢？

只有三兩班鳩爲我唱着悲淒之曲！

五，五，於平望．

旅甯雜咏

(一)蘇州車站

從一聲尖銳而又轉調的汽笛中，

把拭不去的舊痕勾起，

淡淡的衣裳，

冉冉的身兒，

娟娟的影子，

當我心靈送伊上車時，

也是這樣一聲尖銳而又轉調的汽笛。

(二)過滸墅關

綠褐色的山岡下，

排着一例粉白的房屋。

單調的色彩中，

只有一個淡淡的伊，

看不見可憎的——可愛的伊了。

但我終爲了舊影而注視了！

(三)望惠山

好娟秀的惠山呀！

我屢屢夢魂縈繞。

但兩到梁溪，

又不能和你白雲的胸懷擁抱。

今朝，你何不戴上霧縠的面紗，

免把往日相思勾來心上，

翻累得我無計迴避，

要只有借淚珠的簾兒作障。

五，八，滬甯車站。

(四)清涼山掃葉樓

四　清涼山埽葉樓頭

蒼蒼的敗竹，

鬱鬱的孤松，

蕭騷的風語，

動蕩的湖光，

那境界，那境界，

何等清涼！

也何等淒涼！

戀愛的談話，

戀愛的譏笑。

性的青年們，

要把埽葉樓兒掀倒。

休怪我——

枯坐如禪老。

徧心田的黃葉，

從何增？有誰增？

五 路旁的野薔薇

在疲勞的旅路中，

忽撲來一陣清幽的甜香，

那是何等慰藉的甜香！

白白的，只是幾點白白的，

路旁的野薔薇罷了，

倚在荆中的野薔薇罷了，

開向隴頭的野薔薇罷了；

但是伊給了疲勞人的安慰，

只是伊給了我疲勞後的安慰了！

六 莫愁湖上

來得莫愁湖上，

依舊多愁，

借櫻桃如血，

滴我心頭。

遠山淡淡，

近水悠悠。

湖本不知愁，

人自含愁！

七　玄武湖泛舟

看鐘山龍從峯舉，

倒影來湖水漣漪。

荷菱兒臨波呈露，

蘆葦兒因風搖移。

剌輕舠而雙雙相逐，

留秀影兮娟娟如翳。

我狂把櫻桃亂嚼，

我頻把細漿痴曳。

打起那鴛鴦飛去，

莫將我孱弱的心影留遺！

五，九，歸書于東大體育館寓處。

八　一個可憎的記憶

我曾到過西湖，

溶溶的水流着，

溶溶的月映着。

給了我多少溶溶的印象，

終沒有那個可憎的記憶深深戀念！

我今重到金陵，

涼涼的山坐着，

涼涼的城繞着。

給了我多少涼涼的感想，

終沒有那個可增的記憶切切咀呪！

五，一〇，于明孝陵道中。

九　雨花台

瑩瑩的石子，

閃作伊眼光流利嫵媚；

疊疊的雲兒，

化作伊腰影娟娟冉冉。

惹得我昂首追挽，

　　低頭眷盼。

我願我身兒化作沙兒，

把伊的眼光永抱我懷！

我願我心兒化作飛鳥，

永遠翺翔於伊的影內！

五，一一，於永甯泉畔。

一〇 不過

伊的吻不過糖一般的甜罷了，

那麼接着了有何餘味？

爲什麼夢中的接吻甜在心泉！

伊的淚不過茶一般的苦罷了，

那麼流過了有何餘意？

爲什麼夢中的流淚苦入心淵！

五，一二夜在菊[illegible]品茗。

一一 燕子磯

燕燕飛乎？

燕燕飛乎？

你不能負我栖伊梁上，

呢喃細語；

你也當載我沈彼江心，

長埋浪底！

一二　我……記起你……

我彳亍在蔣山脚下，

記起你靜穆的心形；

我徘徊在秦淮河邊，

記起你流暢的心音；

我泛舟于玄武湖中，

記起你迴環的心意；

我振衣于燕子磯上，

記起你翩翾的心影，

我·……

記起你………

但是彷徨的旅路中，

終只是一個孤寂的心！

五，一三○

十 年 前

(一)

你沒有把芙蓉爲臉，

也沒有將楊柳作腰。

但你的眼光自妬煞流星，

你的笑口自羞盡櫻桃，

(二)

撫我無母之兒如愛弟，

倚你孤兒的你如親姊。

我們怎說得上兩小無猜，

更何知所謂深情和密意，

(三)

笑撲着花前翻飛蛺蝶，

戲塑着雪後佛像尊尊。

我們不過年餘的共處，

却留了十年後的哀情！

(四)

從此永遠的人間天上，

可磨滅不落那段親意。

世間那個不相干的孤兒，

肯待遇孤獨的我如愛弟？

五，一六，於頃塘交通旅館。

瘋人的歆羨

流不盡的淚，

向何處洒去？

說不完的心，

向何處擲去？

啊！我眞歆羨瘋人！

好到處灑伍傷心之淚，

好到處擲伍和淚之心。

淚盡時，繼以血；

心完時，繼以身。

瘋人的生涯呀！

何等痛快的悲哀！

何等狂放的沈抑，

免了多少徬徨！

免了多少反側！

五，一九，於榆渠故居。

送白姊于歸

（一）

我倆已作了十三年無母的雛燕，

於今你更要作離巢的分雁了。

你是歸向愛神脚下，

合作你倆的新巢；

但我飛入舊巢時，

更何處覓呢喃親話？

待得你歸覷故巢，

當不減從前音調；

滿傷痕的我的心兒，

終呈得灰色的圖畫！

(二)

我沒有金珠玉帛，

壓破了你的衣箱；

我沒有琴囊書架，

讓你的蠹魚飽嘗。

我也想祝你：

願你倆有花一般的感情，

　　　月一般的意志；

結了個生涯的伴侶，

健全地走向合作的路上！

但我知你不信忌諱的，

那沒在你歡喜的日子，

作着於邑的話兒，

也許更深了你將來囘憶阿弟的印象！

五，二三，於留園。

傀　　儡

我們上山走呀！

那邊有鬱鬱的叢林。

那邊有悠悠是流水

我們沿河走吧！

啊！我做了你的傀儡了！

我也是一個傀儡呀！

誰也都是自然的傀儡罷了！

五，二六，於道山。

結 果

麥子枯黃了，

　　頽倒了，

那是牠成熟的結果。

我也覺得枯黃着，頽倒着，

難道也是成熟的結果嗎？

五，二六，於農場。

離別之魔鬼

你一縷縷蓬茸的髮兒，

從我肩上披到我心上。
啊！那是你一縷縷甜蜜的情絲呀，
讓伊輕輕地深深地縛住了我心兒！
你一陣陣酥醉的香兒，
從我鼻中嗾到我心中。
啊！那是你一陣陣滲透的情意呀！
讓伊輕輕地深深地穿入了我心兒！
啊！我倆握着的手，緊緊地，緊緊地；
啊！我倆熨着的臉，密密地，密密地。
呀！呀！離別之魔鬼，
偏從黑暗中張開了手，板起了臉，
要把我倆緊緊的手兒
　　密密的臉兒分離！
咀呪嗎？——不必，

用情絲串着情意浸着的我倆的心，

依舊緊緊地密密地，

永遠緊緊地密密地！

五，三〇，夜於霞。

牙　　章

那不過一顆牙章罷了，

啊！那是我心血結晶的象徵呀！

一絲絲相思的斑紋，

不是隱約濳在嗎？

我願將心兒交給你，

我願將有傷痕的心兒，

高獻在我愛之前，

試看——試看我心上，

已深深地深深地刻上你的名兒；

你的名兒——只有你的名兒，

已一筆筆一畫畫嵌入我的心兒！

我愛，請收了我的心！

願你把你的心血，

補了我心上的傷痕！

六，三，於蘇師。

小　　詩

——代友題影——

新月從白雲的帷幕裏，

窺視伊伴侶的影兒。

滲透性的玫瑰花香，

驀地把他沈醉了！

影兒永遠印入伊的心目，
香兒永遠留在他的心鼻。

何妨暫離別了玫瑰，
新月的淚兒洒上了星眼。

六，一〇，于話劇樓。

夏夜蚊吟

(一)

人們最苛刻了！
隱伏在田間，
退讓到夜半。

撇着一肚子氣的娃兒，

覺不得儘量地長嘯。

人們最苛刻了！

（二）

假使游絲似的幻夢，

絕對沒有黏附力的，

要減了多少解決不下的煩惱。

幻夢終似游絲的牽引呀！

（三）

打着罵着，

縱使傖狂些；

吐不盡的怨憤，

也借此發洩了！

打不着罵不去的怨憤呢？

只有腦罵着心，心打着腦了！

六，一一

(四)

要是我是一個獸子，

正好鎮日價痴痴地笑了；

就使我是一個墮落者，

也不致什麽都生悲哀。

但是——

我竟睜着眼兒感受一切呀！

(五)

現在不希望別的，

只希望幻夢終是幻夢。

不然，從失敗的逆流衝下，

怎不沈入悲哀之淵呢？

痛苦也不值得介意，

只要有可告訴的機緣，

和可告訴的場所。

無言的痛苦最難堪了，

只有自己告訴自己，

也只有自己安慰自己！

大，一二。

生死之謎

朋友！最不得解決的『生死之謎。』

於今也感到了嗎？

隔歲摧殘的黃葉，

還在婀娜的柳絲下飛舞，

飛舞嗎？——轉輾罷了，

埋入黃葉下的白骨呢？

終只是一種永遠的隱伏消沈！

況人生還爭不到西風的一舞呀，

啊！『生死之謎』，

也許就藏在綠綠的黃黃的葉脈之中；

但是這一架的顯微鏡尙未發明。

一葉似的人生，

還沒有一葉的理解的可能性。

啊！一任春風吹透，

　　一任秋風吹瘦了！

六，一三。

夢 琴

見伊的心弦太緊張了，

夢琴在晨熹未澈時彈奏了，

微熹最是一柄神秘的梳兒，

把情絲縷縷理着。

露滴發出幽細的怨語，

爲着理不淸的一縷。

青蛙解事似笑了，

理不淸的只有情人自己感得到。

六，一四晨。

假　使

假使要不受煩惱，

除非眞⁻解脫，

池沼 的荇藻，

何等流浪呀！

但是何處有一個池沼，

可着荇藻的我呢？

狂放不是好現象嗎？

我憶到浚風的紙鳶，

又願意聊快一時了。

看狹的籠佈滿了宇宙，

狂放還是拘束呀！

死是悲慘的，

實際也大快事。

好把一切不解脫的解脫了，

好把一切要狂放的狂放着。

怎不讚美呢？

六，一八，于靈北。

題影贈藹雲

柳絮早飛盡，

桐葉又將飄，

敢誇柳兒蕭騷，

　　桐兒清高？

念流浪無着所，

又將逐泥兒滾滾，

　　波兒滔滔。

留一點痕兒在君處，

將來好尋我於水之涯，

山之岰！

六，二二，於錦一鎮。

難　道

難道楊柳已含秋意嗎？

為什麼我在這山走着只是多愁，

從久不留意的樹葉的驟長中，

引動我對于時間的恐怖和咀咒了。

六，二五。

題影贈枕石兼慰其陟岵之痛

碧霞池波兒漣漪，

　　荷兒招搖。

正樂首同看斜暉，

　　共話清宵。

驀地黑雲疊疊，

　　梅雨瀟瀟。

動你風木悲痛，

　　身世蕭騷。

看水珠兒滾滾，

化作淚珠兒拋拋。

惟願你善處悲哀之淵，

苞兒終含些微笑！

更何堪歧路沾巾，

情何以豪？

再試向何處覓漣漪池水，

立你的荷兒亭亭，

着我的萍兒飄飄！

六，二廿，於一師。

寄我的白蘭花

沈濇幽默的靈魂，

給白蘭的香兒喚起。

怎不感激花香，

怎不更感激給花的你！

但當我枕你花函尋夢，

給幽香驚醒屢屢。

我將感謝你花，

還是深深呪咀？

咳！人生本不過一夢，

能驚醒的有幾！

六，二九。

悲哀怨憤之花

一輪晶瑩的明月，

照澈我晶瑩之心。

有絲絲微笑，

從絲絲情意中流了。

驀障來層層叠叠灰黑的濕雲，

担不住重壓的我，

沈入黑越越的深淵中。

從深淵中洩出聲聲悲哀怨憤，

狂飆一般吹動着。

吹得——吹得一切都悲哀怨憤，

洒呀！流吧！

心底的淚泉中，

無窮的悲哀怨憤之淚，

要洒偏流徧全人類的心田！

你們嘗到嗎？

人生的滋味是悲哀而怨憤的，

我願犧牲了我淚泉來灌漑全球，

使全球開出人類的悲哀怨憤之花！

六，二九夜，雨後。

人生都不如呀

從殘雲中露着的斜暉，

只淡淡地一片血色，

荷蓋上凝集的雨點，

滴溜溜地因風動蕩着。

柳絲漫意地一拂時，

輒激起波面幾個渦兒，

要算浮萍最閒適了，

穩妥地躺在清幽池面。

在一幅自然的畫圖中，

偏着個繁弦急響之我，

人生的返照是什麽？

人生的活動是怎樣？

人生的遺痕竟如何？

人生的着處在何所？

夕陽，雨滴，柳絲，萍葉，

咳！人生都不如呀！

微　　衷

七，一，於道山·

之

夏之挽歌

(一)

我抑着蛙兒似的一肚子的悲哀怨憤，

然而不能在夜半的田間長嘆呀，

默默地瀠着的淚兒，只枕函感到了·

(二)

把憎惡的事物破壞吧，把咒呪的對家毀滅吧？

左右我終被憎惡的和咀咒的支配着，

教我從何處去破壞和毀滅？

(三)

蚊蟲的螫刺，祇多傷害了我些肉體·

只有——只有佢們的微笑了，

要生生把我的靈魂剕死了！

（四）

我們不了解的蟲語，還有草兒歸聽着，

不能使人了解的我的悲哀，

敢問試訴，誰聽？

（五）

沈沈的梅雨，終有報霽的一日，

梅雨侵蝕了的我的心，

可永遠著着灰色的悲憤之痕！

（六）

柳陰下滿藏着悲哀的搖子吧？

着一點點一片片的春之遺蛻，

怎不深深地感動我的追憶？

（七）

蔽在荷葉下的浮萍，怨憤着牠的處境·

那沒脫然流放吧？

終依舊是飄蕩的生涯！

七，一·

別我的小朋友

小友們！

承你們讓我吸了兩月許的慈母之甘乳，

齒頰間——心靈的齒頰間，

永久留着愉悅的遺味·

但是——但是現在，

我又要去嚼着社會的酸果，

咽着人生的苦核了·

你們也許還眷戀着被你們赤化的童心，

我更何忍捨得你們給我的慈母之乳！

啊！小友們，

『草兒在前，鞭兒在後』，

人生的引誘，

社會的驅逼：

終把我從你們的

同歌共舞的樂園中生生奪去了。

七，二，於蘇一師附小。

客邸孤吟

(一)

囂囂的呼聲，

橐橐的步聲，

更和着轔轔的車聲。

這是何等喧闐而繁盛的境地呀！

但是——

囂囂的擾得我心紛紛地，

橐橐的抑得我心沈沈地，

轔轔的更碾得我心絲絲屑屑了。

這又是何等愁苦而寥寂的生涯呀！

(二)

可憎的音兒，

不絕在我耳中衝突；

可羞的影兒，

不絕在我目前恍惚。

柔曼的伊的音呢？

相隔在外此數百里；

娟秀的伊的影呢？

相期於後此三兩日．

遣不去，招不來；

這滋味，有誰識？

(三)

想到倏忽的人生，

只有沈重地煩數地，

在地板上磨旋般走着．

好多走些人生的路途，

好多留些人生的痕跡！

七，四，於孟淵旅館．

瘦　損

(一)

瘦損嗎？何止我容；

我心更瘦損，也許將毀滅無踪。

你感到吧，我瘦損的心安在你微笑的心中，

氣密的接合，也許因瘦損而搖蕩你胸。

(二)

瘦損了我也何妨，切莫減削了你的微笑！

那能？你的微笑早為我的瘦損而斂而消，

緊張你的心弦吧，還是收縮你的心腔，

好把我瘦損的心兒緊緊擁抱！

(三)

我流浪于南北西東，正如桐葉秋風；

更那堪離情如割，相思時蹤？

我心有幾？能不為一切而痛！

啊！我悔也，人生本匆匆，何必誤匆匆為

雍雍！

(四)

看江南梅雨濛濛，滴得我心琴悽悄。
你在也，我只能含淚而笑。
最割忍的遁入水淵山凹，最解脫的永埋邱隴杳杳。
我呢，無此勇氣，無此忍心，只落得情網哀絲生生繞。

七，一〇，於北投。

往日歸來

——憶白姊——

往日歸來，
有許多僕僕風塵，抑抑心懷，

盡從你慈愛的呼聲中消釋而安慰。
而今，
縱有白髮祖母，垂鬢老父，
怎塞得住我的孤淚瀾汎？

往日歸來，
拂我塵衣，潤我枯喉，
都有你一一爲我安排。
而今，
我懶卸塵衣，
只從枯喉中咽我悲淚！

往日歸來，
你早計我歸期，

母親般的安置我的搖籃。
而今，
只有用我自己的酸淚，
洗刷那黴了的枕函！

往日歸來，
你愛聽煞鄉外新聞，
先把鄉情半告我知，半給我猜。
而今，
孤孤地一盞燈兒，
只火花和淚花相輝！

往日歸來，
你見我垂頭漫步，

要怎樣排去我的悲哀。

而今，

漫步的我更沈着而延長，

垂着的頭却不敢稍擡！

往日歸來，

常歆羨着兄弟姊妹，

咀咒那伍門秦越相看。

而今，

你得了你永久的伴侶，

那知阿弟却失了你慈母般的撫懷！

七，一〇夜，於榆梁。

晚 禱

虹兒你少絢爛些吧，

明日伊要來呀！

還有一朵玫瑰花咧，

莫使驕驕的陽光，

曬得伊太顦顇了！

啊！驀地雨又來了，

明日伊要來呀！

還有一朵玫瑰花咧，

莫使瀟瀟的水滴，

灑得伊太淋漓了！

七，一九，於震北姊家。

你　　要

你要感謝，感謝雨罷。

他爲你織了纖纖簾障，

遮了你娟娟的影兒。

好使我把咀呪你的心兒咀呪雨去！

你要咀呪也咀呪雨吧。

他爲你洗了塵塵路徑，

却不見你冉冉的身兒，

怎不使我把感謝你的心兒感謝雨呢？

七，二〇。

夢 味

『甜蜜之夢！甜蜜之夢！』

那元是歌人的夢話罷了。

爲了這個疑問，

幾次把夢味咀嚼過，

只是些澀而苦的滋味。

一次把舌尖都嚼碎了，

也不過帶上些鹹味。

啊！那終是覺醒後的滋味，

空空的，淡淡的，

或許是夢的眞味了！

七，二〇。

靈魂的呈露

在囂鬧紛呶的人叢中，

很淸晰地聽到伊柔婉之音；

在黯黑冷漠的空曠中，

很明顯地見着伊娟倩之影。

伊清揚的眼波，

左映着月光的漠河流中漾蕩；

用幽妙的吻香，

在披着微風的花枝間含蘊。

自伊眞誠地把伊全靈魂給我後，

無時不有伊全靈魂呈露的印象！

七，二〇，

傍晚

水綠色的薄羅幕裏，

襯着桃緋色的衫影，

濛濛地隱隱地把伊籠住。

出浴後嬌羞的痕兒，

還是蒙着淚的愁眼？

害得痴望的我左右疑思，

七，二〇，於震北．

虹的惡兆

絢爛而閃耀的彩虹，散成捉不住輪廓的碎片的晚霞，無端突變爲死灰色的天空，透着死了的美人似的勾月，蒙了伍們爲伊祈禱向張着的白紗，好似扶乩的沙盤，早指示給我一種未來的惡兆了．

鴿子般柔美，羊兒般純潔的伊，終于鴿子般太馴服，羊兒般太懦弱了，拘束也罷，蹂躪也罷．驀地洒了一陣含血的霖雨，濯得伊柔美的翩兒殰氣了；還要把伊堆入蒙垢之淵，沾得伊純潔的毛兒斑點了．

浴在溷圂的母彘，常常爲伊的小豬舐淨那近不得嘴的污穢；橫被人們中傷的小犬也有牠的母狗來拊牠的瘡痕。做人的親娘，翻願意用伊的口血，噴污伊女兒的靈魂；翻忍心用伊的毒牙，咬傷伊女兒的心身嗎？

要知道打折荷花的，斷不是瀝瀝的夏雨；要知道吹落桐葉的，斷不是蕭蕭的秋風：夏雨不過帶了些甚怒，秋風也不過含了些深怨罷了。打折了荷花的心的是誰呀？吹落了桐葉的靈的是誰呀？

誰能教蒙了白紗死去的月兒，重爲生之圓

影呢？誰能使碎得捉不住輪廓的曉霞
絢爛而閃耀的虹呢？啊！呀！我願用我全生命
的愛之熱淚，洗盡伊被辱的斑點！我願用我全
生命的愛之熱血，補完伊被傷的瘡痕！

七，二二。

月　　下

淡淡的溶溶的明月，珊珊地移入我房中；
淡淡的溶溶的伊呢？恐不能再翩然而至。
蟬翼紗似的簾兒，障得明月斑斑點點。
我探手捲紗簾，依舊是淡淡和溶溶。
橫被人們披上一層蟬翼紗薄的羞辱，
歎我螳臂之手，怎保住伊的淡淡和溶溶！

七，二二夜，於白歸家。

沈 思

沈思——確乎只允許我沈思了。
現在恐你已成了一只籠內的麻雀吧？
孤負了你久欲奮飛的翱翮了，
我夢魂常聽到你淒涼幽怨的悲歌。

沈思——確乎只允許我沈思了，
現在恐你已成了一頭欄中的綿羊吧？
陷溺了你不得漫步的蹄趾了，
我夢魂常看見你愁淡頹喪的哀影；

七，二三。

無 罪

白蛺蝶的蹮蹮，

小孩子好展扇撲着；

紅玫瑰的艷艷，

小姑娘好伸手擷着。

要沒只有小心靈的愛戀，

可恕無罪嗎？

七，二三。

假使只有

假使你只有關不住的夢魂，

好在我夢中永遠接了你的夢魂。

假使你只有磨不滅的心靈，

好用我心頭永遠抱了你的心靈。

但是你還有擺不脫的身兒呀！

七，一三，於震。

返鄉之怨語

(一)

抵抗不過薰風的桐花，

怕已零落吧？

偏偏待着我返鄉之淚，

一齊零落咧。

(二)

門前的榆樹，

半要成薪，

教我再向何處覓濃綠之蔭？

（三）

簷前屋角的蛛網，

更織得密密；

想黏縛我的心嗎？

（四）

被蹂躪後的哀怨，

訴與誰知？

脚下的鷄冠肯體諒我吧？

（五）

黃狗兒罵得低聲些吧，

我終不是肉骨頭的主人翁！

七，三一，於榆梁．

太湖之濱

——偕暇常小立——

青山好似詩人，
默默吻着處女似的湖流。
夕陽却隱隱地偷窺着，
沈沈地醉了他的心，
又嬌嬌地羞了他的臉了。
驀地晚風浪浪，
　　暮靄蒼蒼，
處女的額兒皺了，
詩人的臉兒也愁了！

八，五晚。

莫釐荷影

——荷花生日隨老父偕暇常非白——

(一)

湖風泱泱，

湖水莽莽。

泱泱的莽莽，

莽莽的泱泱。

吹得我身泱泱欲飛，

顛得我心莽莽如浪。

岸頭的雲樹蒼蒼，

　　雲樹茫茫。

茫茫的龍頭山，

却漸見蒼蒼。

(二)

三兩的野荷花，

灩灩地透出湜湜的水面，

搖搖地立在簇簇的蘆叢，

孤另的是伊：

淸閒的也是伊吧？

切莫悲哀，

孤另才逃了塵俗的窮通！

我呀！

我眞恨不得跳入水中，

和你深深擁抱。

淸閒呀！孤另的淸閒呀！

好消盡了千萬萬千的煩惱！

（三）

不知名的小花兒，

忽插上不相識的我的襟上；

不是爲了你聞不到的幽香，

要使你玫瑰似的色彩印我心房。

任鮮在襟上好，

任枯在襟上也好，

只莫讓印在心上的影兒消亡！

但們怎識得我心上的影兒，

不怪我枯了鮮花，

便笑我誤野花爲幽香！

（四）

朋友們！

我們也是從鄉村間來的，

請收了你們驚怪的眼光。

啊！恕我們城市的裝束，

就是我們和你們永隔的屏障！

可憐我們終沒有那股勇氣，

不能赤裸裸地和你們相望。

朋友們！

還請你們用驚怪的眼光，

看透了我們懷抱着的鄉村之心！

(五)

今日不才是你的生日嗎？

怎的肥紅半殘，僅剩瘦綠。

可是山波的狂蕩，

還是湖風的强暴，

還是你也在傷心塵俗？

恕我等不得一勾殘月，

向訴月樓頭共訴心曲。

我只索蕩入荷心，

永遠把住了你們的闌珊零落！

八，六，於漁舟中．

西湖之晚

(一)

千萬萬千的燈火中，

每盞呈着煩惱兩字；

但是舟子是不願意的，

怎能永遠飄浮在沈沈欲死的湖心！

(二)

恨煞睡昏昏的蘇白堤，

幾曾爲有情人作了渡橋？

雷峯的夕照，

就是我血淚吧？

寶俶塔似的你，

只得籠着烟袖傷心！

(三)

不一定爲了口腹而來，

忘不下那人的嗜好呀！

眞感謝玉樓春的醋溜魚，

使我嘗到了兩重滋味了！

(四)

假使夜神永遠張着黑幕，

湖心要怎樣安謐？

偏漏出了三三兩兩的星光。

九，四，歸書于清泰第二旅館。

不是別的

假使我確實是個啞子，也還由習性而趨於

安靜；無奈沒有損失功用的聲帶，却不能到處狷呼呀！

甜的咽了，苦的也咽了，腦海波動的抑了，心琴顫動的也抑了，總之，一切的感官都塞了。

呀！我初不料人生有這樣苦悶的一日！

兇悍的牢獄，我願！也許能寬恕我瘋人似的狂呼。冷寂的坟墓，我願！也許眞有那子夜的鬼嘯。

現在——

要比我以一瓶蜜餞的食物，那沒非但沒有嘗到蜜的滋潤，特殊地只多着黴菌的侵蝕。

啊！我所要求的不是別的，——

只要一種自由自在的歌哭狂笑！

九，一二，病中於西舍寢室．

心 情

要我一樣相同的現象來表示我的心情，
恐怕只有我的心情，——其實只有我自己
的心情了．

眞佩服那繅絲的姑娘，
能捉住了那個不易捉住的絲頭．

我的心情縱使如絲，
可沒有那個絲的端緒呀！

就是有了繅絲的姑娘，
也不見能捉住我沒端緒的心情！

九，一三，於西舍．

我 所 求 的

我也不敢求人的一點微笑。

微笑既不肯安慰我，

却只覺微笑中含着冷峭。

我只求我自己的强笑了。

强笑嗎？——

翻引動眼波的狂嘯；

那沒求我的痛哭吧？

狂嘯又抑爲暗咽了。

啊，我所求的………

九，一五，於西舍。

秋

道山樹木，

何嘗不鬱乎蒼蒼，

爲什麽步入其間，

愁緒茫茫？

看零落在樹巔，

看頹廢在草叢；

草木也形消瘦，

不耐支撑。

啊！秋在山間，

秋在我心房！

九，一五，於道山。

秋之夜

(一)

從秋風乘夜襲擊桐葉的戰爭中，

我的生命也哀哀泣了！

(二)

秋蟲的哀鳴太無聊了，

要騷擾坟墓的安甯多少•

(三)

新月是不値得窺探的，

伊早忘了黑暗的讚美•

(四)

讓白露濕透了吧，

草兒又怎免得枯黃呢？

(五)

老母當然要傷心的，

我怎樣歆羡着坟墓，

但是我要就伊的慈懷呀！

(六)

人類的成功，

　　也不過燭煤的消滅罷了；

　　炫耀時早流着流了。

九，一七夜電火息後。

向月季的請求

忘却了我的殘忍，

去滿足我的欲望。

月季縱不是玫瑰，

殘紅已枯向掌上，

我也只有請求伊的怨恨了！

狂暴，——也許眞狂暴咧，

空失了的心可用什麼去塡充？

我願盡量毀滅了我的所愛，

將所愛者的怨恨，

來填充我空失了的心中！

九，一九，於庭中．

讓　　我

(一)

讓我的心燭一般的燒成灰吧？

可不要把蠟淚滴在伊面前，

再多了一個拭不去的斑痕！

(二)

秋之夜奏成百般音調，

沒慰藉我無聊的寂寞，

反感動我孤獨的悲哀．

(三)

只要求你能減殺我的回憶，

消毀我的聯想，

我是甘心退居弱者的地位的！

九，一九夜，於自修室。

人生的傷痕

不敢去求誰的微笑，

又不能舒我的狂嘯。

惟一的安慰者，

只此的墨痕草草了！

玫瑰之痕艷也好，

秋月之痕淡也好。

我只掩不住我的人生的傷痕，

一點點，一條條，

密佈在我終將毀滅的柔腦，

朋友們！

寬恕我吧？

血——淚，

半已枯槁了！

九，二〇於西村。

秋　之　夢

一樣從婉嫋的柳蔭經過，

飄拂上衣襟的，

已不是婀娜的情趣了。

一樣從潺湲的溪邊走過，

波動入耳鼓的，

已不是淨琮的音調了。

淒淒的，冷冷的……

夢一般的我，

也終於從淒淒的冷冷的……中間，

走向那飄也停滯流也凝咽的盡頭了！

九，二二，於道山。

羞 見

羞見影兒團圞，

讓我孤另地相對謐靜。

請把我的一點情愫，

遙遙傳寄伊吧；

欸伊切莫仰望中秋之月，

月影要亂於紛紛的人影。

啊！更讓我長了夢之翼吧？

好依着月影飛入床幃，

在伊甜蜜的夢魂中，

接一個惺忪之吻吧！

九，二四，中秋前一夜。

中秋的留園

一羣羣的遊客，

都帶着享樂而悠遊的閒豫；

一雙雙的伴侶，

更顯着安慰而愉悅的矜張。

我愈形我是孤獨的寂寞，

無聊為踉蹌！

且看每葉葉的枯黃的落葉中，

每塊塊的乾燥的石塊上；

也向我作一種蕭索的鄙夷，

岸兀的誇驕。

我終於被緊壓得羞匿，

强逼得狂逃！

九，二五，偕專科同學。

木榫的咀呪

把我熱望的心兒，

投在水似的秋夜；

要何等淒淒地愉悅，

切切地惝恍？

一任秋颶的摧折，

一任秋月的引誘，

我只死了一般安葬。

驀地飄來一陣甜香，

激起我水似的心波成浪！

秋風異樣地悽愴，

秋月異樣地澹涼。

更那堪悲哀的蕩漾，

　　　虛空的惆悵？

惹得秋坟的陳尸，

發着永埋的哀唱；

惹得秋夜的女神，

爲之飄拂而翱翔。

他的香呀，

瀰漫而飛揚；

我的心呀，

强壓而緊張。

我願香兒消失，

讓我心永遠情冷！

我更願心兒毀滅，

儘香兒永遠情暢！

九，二九。

結草庵前

陰沈沈的一片夜影，

漸漸從樹梢移向河面。

難分輪廓的背景中，

停留着靜穆穆的我倆。

因着流水的私語，

曳上了一聲微嘆。

夜影漫把一切埋沒了，

庵中的木魚早已絕響！

一〇，四晚，偕左文小甜。

同　情

任意橫斜的老榆樹，

很緊貼地倚着單調的石橋；

或者牠們也正如愛人的擁抱，

互相感受到一種不言的情意。

偶被西風振動了幾片黃葉，

飄入幽幽的河流中；

起了一些極微弱的波動，

也成了那沈寂的幽趣。

秋蟲無聊地奏着繁響，

沈寂逃入永久的黑暗裏。

我却耐不得暗咽了，

洩一些感傷的呻吟。

秋蟲是不會了解的，

讓我老檢似貼在橋上，

　　黃葉似沈入河心。

啊！人類已沒有同情了！

一〇，七，於南園。

矛盾的生涯中

朋友！我斷不會傷心的，

但是確已傷心到極點了。

風兒吹笑了春日之花，

爲什麽又吹哭了秋日之葉！

矛盾的生涯中，

早喪失了我全生命的主宰呀！

朋友！我斷不會灰心的，
但是確已灰心到末路了。
蜜兒甜潤了我的味蕾，
爲什麽又酸痛了我的牙齒？
矛盾的生涯中，
早侵蝕了我全生命的生機呀！

一，〇八。

雙十節憤言

沸揚的血，紅花地開放；
沈死的血，坟墓地閉藏。
家庭竟針一般刺痛了我心，

社會又冰一般冷透了我心，

我呀！徒具着半揚半死的心腸！

說什麽生命之花，生命之火；

永遠值得讚美的只有死的無存，

暗的無光！

毀壞一切的存，絕滅一切的光；

痛快地走向死和暗的道路上！

一〇，一〇，於蘇州。

最小的要求

我只有最小的要求，

也許是極大的奢望吧？

當我暫時停止意識作用的時候，

爽性讓我陷入永無意識的境地！

一〇，一二．

秋夜之雨

彷彿永沒聽過那雨聲，

幽細而繁響，

沈着而倉皇．

秋神也在悲哀末路吧？

無言之言，嗚咽難揚，

不步之步，徘徊顧往．

枯桐誤爲相殘，

挽着最後之住，

瑟縮而反抗！

衰草誤爲同情，

接着最後之吻，

甜蜜而感傷！

我呀！無能反抗，

　　何從感傷？

一任秋神的宰割，

那計心靈的支撐！

一〇，一三夜，在朱子亭畔。

重　陽

(一)

雨未淒淒，

風自飄飄，

飄飄的黃葉，

飄得人的心意搖搖，

何從把住呀？

飄到這邊那邊遙遙！

(二)

縱使登得高高，

怎望得見這邊那邊遙遙？

縛在我心頭的，

也許有無間的密接牢牢。

一〇，一八。

虎邱之什

(一)

匆匆地在山塘走着，

暫時衝動着的意興，

早和脚力成相比的遞減，

垂着頭從一羣羣人叢中擠過，

兩旁的店面一間間向後移過，

實在已完全忘了我自己的地位！

(二)

從乞丐的呼聲中，

把我冷寂的冰弦，

微微撥動，漸漸張緊。

我的精神早如他們殘廢的肉體，

可是精神的呼聲，

還得不到仁慈的婦女們的憐憫！

(三)

可憐的人間落伍者呀！

你們徒奏悲哀的音節。

人間的仁慈是無價值的，

讓我來領受你們給我，

對於否定人生的啓迪吧！

(四)

絕不像遊覽的我，

直趨向白鶴澗邊；

默默地席草坐着，

痴痴地面壁坐着。

連疲勞的感覺也快消失吧，

只成了一塊不顛頭的頑石！

(五)

儻望蘇臺上所能眺及的，

只是鷄窠似的一座城市。

我的心定寄在蘇城以外，

因爲我茫然遠眺，

竟是漠漠然無視呀！

(六)

洪宏的鐘聲裏，

直波入我的內心；

一點點生之痛苦，

引起一片片悲哀之影，

前進的脚仿彿攤瘓了，

靜待着最後的命運吧！

(七)

自然或許是偉大的？

在我的瞻時中！

縱沒有感着。

偏偏爲了一片紅葉，

摘來塞向口中，

拚命地咀嚼！

一〇，二一，偕庭文遊。

滬甯車中

持續的顛簸的振動，

衝破了陰沈的夜影，

載上了千百個殊異的心兒，

正不知牠負着何種的使命？

從各各離奇的面部上，

幻出佢們各各的夢境。

我只迷迷濛濛地，

推演望我的人的夢境！

一一，三夜。

墨　痕

(一)

我和着淚痕的墨痕，

你旣不了解了；

又何須噪音的哀音，

來擾你的清聽？

假使你依舊了解我的，

那沒當我湧上喉頭，

又復咽入了心頭時，

自然會起無聲的共鳴。

(二)

當我匆匆退到天鑰橋邊，

實已沒一些剩餘的勇氣；

迷惘地行尸似走過橋時，

足尖的酸痛感入了心內。

我實在沒得了什麼，也沒失了什麼；
但終於感到得了什麼，又失了什麼。
闌珊，惆悵，……
啊！我的心確乎疲倦而憔悴了！

(三)

也許有幾所破屋在我身旁擦過。
感謝那汽車的飛塵為我蒙蔽了；
啊！多一點灰色的遺痕，
即多了一面悲痛的回想，
觸着飛塵是痛楚呀，
快快讓我逃入電車中；
緊緊地密閉了雙睛來求遺忘之神的安慰，
因為開眼都是落寞的人羣和無聊的景象！

——，四，別後書於旅次。

怯弱的吸吮

頸部沛着點滴的赤血，

盡是夜蟲的賜福•

怎樣使我竭誠的感謝？

因爲我的血專供

一切被人類惡棄的生物的犧牲，

但我又要咀咒你怯弱的吸吮了•

點滴流血的痛苦，

斷不如整個殺死的痛快呀！

——一•一，四夜，於上海旅次•

車 中

迷濛而慘澹的景象，

寫盡了殘秋的曉趣。

或者自然也感到疲而入睡，

我也只剩有那慢忪的心意，

田隴間倘橫着一束束的黃稻，

告了牠們的成熟；

可憐蓋着黃草而橫着的人們，

只是無聊的幽閉！

枝頭的宿鳥也感傷吧，

絕不因振動而奮了癱瘓的頹廢！

——，五晨返蘇。

埋　　葬

為了殘秋的埋葬，

淅瀝地洒着淚雨，

桐葉的墜落，

奏着最後的哀音。

我爲了心靈的埋葬，

自已也咽着了淚兒；

最後的挽歌呀，

只奏着無弦的心琴！

——，——，雨後。

我　的　心

我的心呀，

曾陷落入荆棘叢中，

流暢那玫瑰似的濃血；

也曾安放在玫瑰花中，

受盡那荊棘的深創。

破碎而憔悴的心呀，

敎我置於何方？

一一，一八。

楓　　林

(一)

楓林是沈醉了，

青春之酒，

如何狂飲而痛吸？

啊！傷心，

他是咽着秋之血淚呀——

(二)

枯黃的柳葉，

漂向一潭寒水。

這是秋之悲傷，

可也是自然的快意。

挽不得春風常住，

怎逃得墜落而沈淪？

(三)

狂妄也好，

豁缺也好，

我一定要伏向隴頭，

和孤悽的衰草，

深深吻着。

忘不了那青春之生命呀！

(四)

惆悵何爲？

弱者早擯棄於人類，

我沒有夕陽似的誘惑，

也沒有暴風似的威嚇。

休呀！休呀！

甘心低首。

(五)

平波臺下，

湖水應長流。

你的熱情呀，

竟從我心頭，

流向湖水悠悠。

讓我沈入吧？

好找你的熱情於湖之盡頭！

(六)

酒後的口吻，

飲着你酒前的眼淚，

我倆的心呀，

也許只在這一瞬中，

因悲痛的甜蜜而親合！

一一，二七，寄自蘇州。

災 害

常常要覺察到頹廢的災害，可終於陷入頹廢。

我不信天下有這樣殘忍的人，把絕大的火災，來毀滅他壯麗的建築。

也許殘忍吧？我心靈的壯麗的建築，經過不少自己作祟的火災了。

荒林盡頭的湖濱，有個老婦人哀哀地哭着；爲了兒子的沈溺，灑盡了伊含血之淚。

沈溺而引得流淚，終是不救了。

蔓草徧生的隴下，可憐是那無淚之泣！

一二，一。

幻　想

走上危峯，儘情長嘯，被阻着絳水的幽怨，得所宣洩了。

也許是我的幻想，閉止泉壤的陳人，如含有一絲靈覺何以爲情？

也是事實吧？

閉止在泉壤似的社會中的活人，何嘗有喘息的餘地！

一，二一．

夢 境

心鐘洩出的尖厲之音，
將那幽穆的夢境，
擾成秋意的紛飛黃葉．
在最後的擁抱中，
仿彿聽到了嚶嚶啜泣．

給白雲圍裏的身兒，
忽碎作灰黑的微塵，
飄散到玫瑰的園中，
剩有憔悴的刺兒，
留着殷紫的血痕！

一二，七．

讓　　我

一洿異樣黝黑的豬水，

怎樣協調而穩靜呀！

讓我作一度安全的沐浴吧？

爲了模糊而班駁的瘡痕！

在尖風下呻吟的黃葉，

怎樣幽美而微妙呀！

讓我作一度殘酷的踐踏吧？

爲了悽悽而愴悅的心情！

一二，八．

讀幽思後

——贈詠瓊——

懷裏的鮮花，

切莫抛向無情流水。

我願嵌到心頭，

受我心血的灌溉！

我為了野花的芬芳，

甘心就此埋葬。

慢作殘忍的採擷，

讓伊開向我頭上！

一二，九，於蘇州。

我 願

血豔豔的玫瑰，

我願用全生命的嗅官，

儘量感受伊的芬芳。

陶醉而死是何等甜蜜呀！

火灼灼的椒茄，

我願用全生命的味蕾，

任情咀嚼他的辛烈，

激刺而死是何等痛快呀！

一二，一〇。

弱者之音

慢打起雄壯之鼓，
前衛的刀鋒，

已卷而敝了。

紫殷殷的血泊裏，

張着白慘慘的手臂，

就此作最後的擁抱吧？

死人的心弦的彈奏，

或能傳到酣美的夢境裏！

一九二四，一二，於西村。

挽 歌

楊柳驚遠了，

溪流倒影，

消瘦而銷沈。

底事傷心，

春風顛頓吧？

波痕呀，

記否婷婷嫋嫋？

黃鸝來時，

挽歌彈唱了．

一，一三．

心之埋葬

洗着血淚之浴，

披上無夢之衾．

焚去那回憶之跡，

奏動那淚漠之音．

黃葉疊成了棺槨，

流泉波起了坟墓．

借秋風的挽送，

葬我心於無痕之路！

一，一三，

訴母

我屢想紮個鮮豔的花圈，

　到你荒寂的隴頭。

啊！母親呀，

我只收着些枯黃之葉呀！

我屢想歌曲歡愉的音調，

傳到你幽沈的墓底。

啊！母親呀，

我只嘔着些暗啞之什呀！

我屢想夢中尋你，

又怎忍你見我消瘦的笑痕？

我屢想魂來隨你，

又怎忍你見我破碎的傷心？

母親呀！

我孤負了你生前的慈愛，

我毀壞了你給我的生命了！

一，一四，於蘇。

我　將

我應該告訴你的，

我不過一枝白花的女貞罷了，

假使你不僅是爲了花的，

我將以長春之葉獻你！

我應該告訴你的，

我不過一只凋翎的孤雁罷了，

假使你不僅是爲了翎的，
我將以經冬之心獻你！

一，一五．

多 半

見了野花而採擷而珍藏，
多半是熱情的鼓蕩．
有馥郁而嬌豔的誘惑呀，
野花將於採擷者的脚邊埋葬！

見了小鳥而撫摩而憐惜，
多半是熱情的衝擊．
有撲翅而展爪的恐嚇呀，
小鳥將從撫摩者的手中攫奪！

一，一五·

微吟之什

(一)

月影杳杳，

星語悄悄·

病懨懨的梧桐，

斂夢悠悠的微霜輕抱·

惹愛花冷悄悄，

　情絲飛裊裊，

有誰知，誰是自深宵

淚滴到清曉？

一，一六·

(二)

月一梳，

簾乍透。

冷夢清冷，

端底爲誰瘦？

怕星眼窺破，

眉難皺；

怕梅魂勾引，

心自逗。

(三)

夜雨琮琤，

濕透了夢魂沈沈。

縱汝巉巖千仞，

縱沒急湍萬尋。

飛不起耶，

只着了枕兒淚痕血痕！

一，一七。

（四）

何處夜鶯啼，

夢回才識心音漏。

慢挑撥，

莫彈奏。

未許舊痕重掩映，

怕只怕驚伊美夢嫌短驟！

（五）

心影潛塗，

淚痕偷拭。

讓我夢中知，

敢要人相識？

月影怕被花相妬，

露淚漫向枝頭滴。

一，一八。

（六）

星影纖微，

橫彼月圓重妬。

枯林栖倦鳥，

又怕夢魂未妥。

凉階淒獨立，

幽怨何從訴？

拼將瘦骨支撐，

那堪濃霜暗度！

一，二〇，於蘇州。

蓼我之痛

(一)

母親灌枯了伊的血乳，

抛着我柔弱的雛苗而去。

我總想將朵生命之花，

開向你垂鬢老父的眼際！

(二)

忍心離了親愛的榆梁，

去飽嘗流浪生涯的滋味。

那知待得我風雪歸來，

你竟已病入膏肓而莫起！

(三)

你爲愛兒子怕我担憂，

竟始終不肯告我以病狀。
我歸來只侍奉了八日，
怎不更增我悔恨而心傷？

(四)

强斂着我愁容而歡笑，
更告你姊姊安寧而我壯。
雖沒有學着楚老之舞，
終祈寬解你抑結的心腸！

(五)

那知半年的孤寂滋味，
竟使你的心兒悲傷到底。
縱有着手成春的神醫，
怎補得好你已碎的心意？

(六)

早知『樹欲靜而風欲動』，
決不流浪於遙遙的異地。
此後縱開得綺麗之花，
也徒增了我思親的哀涕！

(七)

你的靈柩已暫時安厝，
將來終要爲我雙親合葬。
但是我記起風雨之夜，
夢魂要何等驚遽而徬徨！

(八)

家庭更形寂寞而冷酷，
兒子已向祖母懷裏安藏。
只恨不能如生前一樣，
縱有千言萬語寄向何方？

二，二三——三七同經——焚化·

夢 魂

夢魂假使是可以來往，
千萬來望你兒子一望·
母親的慈容是否含愁，
更念着你的支離病況·
明朝兒子又要流浪了，
帶着悲哀之心而流浪·
希望放一朵生命之花，
歸來獻向雙親的隴上！

一，二三，夜·

心意的瘋狂

疏落而隱約的鉛痕，

居然又呈現我眼底。

我不知疏落而隱約以外，

還有什麼留痕餘地？

也許在一層層的纖微中，

含藏着不少的情意，

做做獃人吧？

一層層撕開時，

只有一層層纖維怨恨的微聲。

殘暴吧，

罪惡呀，

我竟把你們密密的接合離分！

片兒呀，片兒呀！

你也曾惹人間斷絕的悲傷。

慢說我忘了伱維繫的前情，

請恕我現在心意的瘋狂吧！

三，九，於蘇。

微 波

一渦渦微皺的春波，

勾起我一點點憶舊的影象。

聆蜜語於微波之前，

迎笑靨於微波之上，

洒別淚於微波之後，

……………………

咳！到底冷淡呀，

我願沈傷心於微波之下！

三，一一，碧霞池畔。

滄　浪　亭

春陽竟也是慘澹嗎？

斜映着頹廢的園林，

歷亂地飄零的紅瓣，

給強暴的蔓草荒蕪。

披着襤褸的春袷的石亭

呈露那蒼黃紫褐的傷痕。

剩一叢枯瘠的淸幽之竹，

倚着蹣殘的雕牆而顫驚。

踏碎了殘冬堆疊的宿葉，

頻嘶着悲悼前影的哀聲。

也許早哭傷了子美的詩魂，

五百賢遺像也斑剝而蒙塵。

三，一七，伴明叔及其二友。

可　　園

這是輕聳的土乳嗎？

披上那蒙茸的淺草之紗。

這是微皺的水渦嗎？

泛着那蓬鬆的落花之暈。

春呀！春呀！

讓我將崚嶒的瘦骨，

偎抱在柔乳之上！

讓我將枯碎的殘心，

埋葬在笑渦之中！

三，一七，伴明叔。

植園有憶

春風是慣撩亂的，

敢怪梅蕊的飄零？

無情的小草呀，

莫倚影飾的亭榭而驕橫！

漫溯小橋流水，

柳絲兒曾抱過浮萍。

炒屑道上的錯交糾織，

刻劃着歡愉和悲痛的遺痕。

漪漪的瀟湘綠竹呀，

可忘了你流淚時的幽怨和眞情？

斜陽的熱情一瞥，

滿園林顯示淒凉的衰形！

三，一八，偕專科同學。

春之狂歌

(一)

我沒有聽到黃鸝的嬌音，

可彷彿見了黃鸝的幽魂。

依依那綠楊的絲上，

猶是去年歌唱之窩。

可憐你的兒子呀，

竟傷心在綠楊以外蕩跡難尋！

(二)

山茶火一般的怒放，

感謝你流露的情意。

請寬恕我的狂暴吧，

將擁抱而深深吻你。

呀！何來黃金之心？

我手兒冷顫心兒驚悸了！

三，二八。

小　　詩

搖籃裏的童心，

發着歌唱的哭聲；

讚美夢幽的過去，

悲哀環繞的血痕！

坟臺裏的幽魂，

發着陰淒的笑聲；

傷心持生的過去，

暢樂永久的安甯！

四，一，於蘇．

清　　明

宿草交織着含悲之網，

密罩了母親的墓上．

魂在白楊的瘦枝頂端遙望吧？

可眺不見愛兒的流蕩！

悽愴而幽抑的夜鶯兒，

竟更向父親的隴頭哀唱，
歸不得的你倆的孤兒，
夢步兒也顛躓而踉蹌！

四，五，於霞東。

夢到榆梁

我昨夜夢到榆梁，
槐影映成了滿地翳痕。
彷彿掇拾了斑斑點點，
却咀嚼不到故鄉的鄉魂！

我昨夜夢到榆梁，
頹寺裏破磬幽吟；
驀地幻向雙親隴上，

聽．聽那思子的慈音！

我昨夜夢到榆梁，
怕見故居的鼠矢蛛塵。
剩有梵唄聲聲的白髮祖母，
呀！白髮兒又脫了多莖！

四，六晨，於鷺東白鹿家。

失　望

怎敢說夢繞魂縈，
終期望脉脉盈盈。
恁的敞露的窗櫺中，
只漸了你倩影柔痕？
我徒抱着顫蕩的心兒，

終飛不進那簾幕深深！

四，七，會前小泛河中•

雙楊會給我的哀怨

(一)

十三年前的回憶才如昨，
忘不了依依慈母的胸前•
看飾戲的會船魚貫而過，
也扮看戲兒逗笑而求憐•

(二)

怎知慈母竟看破了人生，
那年就離了戲似的塵烟•
我雖只是顆逗笑的童心，
終隱隱地張了悲哀之弦！

(三)

嚴父也怕覩前情而傷心，
隔歲竟遺棄斯匕而不戀•
可憐我已非逗笑的童心，
竟更搭上了枝慘痛之箭！

(四)

今年的會情縱使更喧闐，
慈愛的雙規終永難再見！
最傷心那無當住的人寰，
只多得射破之心的哀怨！

四，八，於震東•

至　蘇

霎時的愉悅，

絕不停趾地跑了；

殘餘的幽夢，

也長了翼兒飛去。

冷落的街道，

淒淸的河流；

可是在酣睡沈沈，

還是哀歡痕不繼？

催人流浪的汽舶兒，

又載我到故鄉以外；

瞧不見的那人兒，

應在尋覓那芳香的夢味！

四，一〇晨，搭蘇杭輪。

往　　事

飄飛的新柳，

當然只知道鴛湖春皺。

搖落不盡的我們，

怎忘得了寒月吻瘦湖的懷舊？

也麼欠想儘把往事丟，

儘把往事休。

怎禁得眉頭，

更怎禁得心頭？

江南暗矣春難住，

我——我願把哀情到死——死也留！

四，一四，仰山樓下。

忘 想

不可認識的夜幕中，

呈現着妄想之幻影。

穿着時的犧牲之衣，

喫着血的毀滅之心。

一堆堆一疊疊的白骨，

橫陳錯置於他的脚旁。

恍惚而彷彿地跳舞，

驚異而憬悸地歌唱！

四，一七。

月

不用披絲絲輕雲的羅紗，

不用飾點點閃星的鑽光；

自有那飛雪似的冷潔，

自有那流泉似的幽韵。

看垂柳太狂熱，
要乘春風和伊抱腰；
聽潛魚太癡妄，
要借春水和伊接吻。
啊！挽着了些流光，
　　唤着了些餘影！

四，一八。

南園所見

(一)

凸凸凹凹的荒塚叢中，
罩上了一層春之青色。
點點撮撮的小花兒，
也表示着生之幽美。

慢咀罵死之悲哀吧，

春意沒把死者遺棄！

(二)

柔桑展着嬰孩的枝葉，

修麥抱着老成的果實。

獨有菜花負着青年血氣，

正在過度那黃金的幻夢。

開着笑口的農人，

一樣把牠們重倚！

四，一九。

小　　詩

越了攝力範圍的流星，

得因磨擦衝撞而毀滅。

失了愛的歸宿的流心呢？

超了飽和程度的流雲，
得因凝集沈重而飄滴。
執於愛的維繫的流魂呢？

四，二〇，於西村。

道山頂上

我趕緊跑上那春意殘留的道山頂上，
在深綠怒疊的草叢下，
倘掩蔽着三點兩點的紅痕。
可是要找尋一朵似伊摘下過的鮮花，
已成了無處着跡的幽魂！

我趕緊跑上那春意殘留的道山頂上，

在翠蔭重障的樹林中，

尙浮露着三片兩片的白雲。

可是要注視那似伊笑容的倩影，

徒感傷了我失望的柔心！

四，二三。

誤　認　了

誤認了綿綿春雨，

能潤澤我枯燥的心靈。

可憐那斑斑點點，

竟着上了霉爛的殘痕！

誤認了拂拂春風，

能梳理我煩惱的情絲。
可憐那糾糾纏纏，
竟吹成了紊亂的幽思！

五，五。

敢 怨

敢怨春鳥的引誘，
翠綠的枝頭，
何處聽歌似的嬌聲？

敢怨春花的迷惑，
蓬茸的草上，
何處尋夢似的幽痕？

五，五。

立　　夏

夢一般的臥在搖籃裏，

花一般的懸在天平上。

雙親蜜一般的歡笑着，

姊姊蝴蝶一般將我推蕩，

搖籃也許已朽作炊薪，

誰再把我飄零的落葉秤磅？

姊姊也不如從前的嬌憨了，

如我念着雙親而淚溢眼眶！

五，六，於蘇州。

垂　　楊

垂楊密拂着綠玉之條，

表示着挽得春痕絲絲在。

縱有那無限的傷心，

倘可坐濃陰而沈醉。

無奈我別抱哀思，

恨煞伊遮斷我遙望之眼！

五，一〇。

棄 後

流了血的勁敵，

也向我張着怒裂之眼。

傷心那歡愛的情人，

竟不留我以棄後的一盼！

被殺了的毒蛇，

尙享受着人們的咒駡，

傷心那歡愛的情人，

竟不遺我以棄後的一話！

五，一〇．

絕　不　留

枯燥欲碎的木香花，

尙留着甜酣的餘芬．

爲什麼破裂了的愛情，

絕不留一綫的餘痕？

瘦憊欲死的蜜蜂兒，

尙歌着哀艶的餘音．

爲什麼遺棄了的愛情，

絕不留一點的餘魂？

五，一〇．

紅 花

這恐怕不值得請你原恕吧？

當我漸漸地把我的心，

從沸熱的愛流中取回時．

縱使你依舊願意

將甜蜜之露漑灌，

爲了火烈般的赤血，

也不忍再讓他點點滴滴濺洒了．

忍些痛吧！微弱的痛罷了！

勇毅地拔去小孩之箭！

把那剩餘的破碎而灰色之心，

擲向民衆之前，

開放一朵玫瑰似的紅花！

五，一三，於四會。

心

莫太輕視了玫瑰似的心兒，

給佢　落花似蹂躪；

莫太輕視了美玉似的心兒，

任佢們拋擲於圂溷。

莫忘了母親眠歌中的搖籃，

你的心兒翩躚似飛舞；

莫忘了民衆狂呼下的馬革，

你的心兒和熱血而裹！

五，一七

回 憶

回憶是冷酷的弱水，
把生命輕輕地渦沈而下，
回憶是銛利的纖刃，
把心靈偷偷地碎削而去。

假使你是重持生命的，
切莫徘徊於弱水之濱；
假使你是愛護心靈的，
切莫轉旋于纖刃之旁。

慢說游泳的巧妙，
得翻騰于弱水之中；

慢說技擊的精嫻，

得嬉弄于纖刃之鋒。

無須恐怖的，

投我生命於民衆的汗海！

無須退縮的，

置我心靈於民衆的血刃！

五，一八。

向心靈懺悔

决不是我的怨恨，

確乎是我的懺悔。

濃雲似的你的鬆髮，

怎的覺撩亂了我纖纖的心絲？

甘露似的你的凝淚，

怎的竟擾動了我潺潺的心泉？

櫻花似的你的蜜吻，

怎的竟咬碎了我疏疏的心蕊？

鶯歌似的你的嬌語，

怎的竟撥斷了我低低的心弦？

……………………………

我敢怨恨你的一切嗎？

向我心靈深深地懺悔！

五，一九，於滬。

决　不　是

假使拭不去那娟娟倩影，

我願意削去了心兒片片。

縱灑了點滴血兒，

決不是爲了頑兒之箭！

假使割不斷那裊裊情絲，

我願意燒得那心兒苦苦。

縱留了纖屑灰兒，

決不是爲了愛神之火！

五，二一。

渡　船　上

蒙着汗珠的兩頰，

蔽不了迎人的情調；

梳着沙塵的疏髮，

減不了臨風的神態，

從藍布的衣衫中，

顯現自幽曲的輪廓；

在赤裸的雙趺上，

流露着堅毅的娥媚。

我正在領略那自然的女性，

水流已偷偷地將我們泊岸。

臨了笑請我們上岸的口音，

永遠留在癡癡的腦中沈醉。

五，二四，看楓橋何山會。

不是我的故鄉

那確乎不是我的故鄉，

怎的分外地魂牽夢想？

曾為了幽絲似的愉悅，

今爲了那餘痕的悲傷。

秋風吹不死的青桐蔭下，

空留着寂寂的斜陽；

還有剪不不斷的綠水之濱，

却不見送別的印象。

年年的秋桐幽怨，

年年的流咽悽愴。

要不是爲了永愛那拭不去的餘痕，

恨來時願把那不是我的故鄉洗蕩！

五，二七，於西舍。

生 涯 之 影

(一)

流蕩的浮萍，

輕輕地團集在漁人的網中；

綿蔓的小草，

些些地疊在牧童的篰內，

漂泊不定而萌苗無所的生涯，

有誰來將他歸納？

(二)

沐浴於緩流中的水牛，

安閒而舒暢地轉動着。

盡日的疲憊和勞苦，

都消釋於漣漪清流之中。

我敢怨牛般的生涯，

只要給我一個沐浴之所！

(三)

堆置着疊疊的牛矢，

發揮了窒鼻的奇臭。

看把了鏟的農夫，

却黃金似整理着。

可憐黃金似的生涯，

翻不如奇臭的牛矢！

五，二九，散步丁南園。

倘　　能

柔弱的柳絲，

倘能飫着沈醉的微風，

　　浴着漣漪的清流，

　　吻着清瑩的明月。

卑小的螢燈，

尙能掩映了平湖的深影，

照澈了淺草的酣眠，

閃耀了叢林的幽夢。

柔弱而卑小的我呢，

感受着的是怎樣？

發揚了的是什麼？

六，二夜，于道山籃。

誰好

誰好彈悱惻哀怨的音調，

奈琴弦已羞澀而憔悴。

流亮而清逸的歌聲呀，

願盡動的靑年自愛！

雖好圖沈悶灰頹的光線，

奈色板已淆渾而瑣碎，

清新而愉和的色彩呀，

願美協的青年自展！

六，三。

永　　遠

恨眉峯霧也似的昏蒙，

幾時來一陣流暢的清風？

可憐的伊的陰影，

永遠置我於朦朧恍惚之中！

恨眼泉決也似的傾瀉，

幾時作一重鞏固的堅閘？

可憐的伊的幽聲，

永遠置我於迷離彷彿之下！

，六四，於蘇。

相 對

——靄雲來自上海——

記匆匆送你殘桐蔭下，

黯然的離魂，

强被秋風吹散。

我注視着過後的輪痕，

總給行人的足痕相錯亂。

者番好認舊輪痕，

怎的又只黯然相對？

看乳桐新長倚薰風，

當笑我們各自失意後的微喟！

六，四，於蘇。

酒後贈徐江

(一)

朋友，請恕我只微露了脆弱之齒，

要沒對你脫然而狂笑；

朋友，請恕我只輕動了灰白之唇，

要沒對你劃然而長嘯。

(二)

想起昨夜狂放的縱談，

我的血脈竟不期而緊張；

對着今宵狼藉的杯盤，

我的淚泉幾抑不佳汪洋·

(三)

我要謳歌那潰决億兆生命的洪水，
不願聽那嫠婦夜泣似的簷漏之聲；
我要讚頌那震驚億兆心靈的火山，
不願聽那妓女謝人似的悲劇之音！

(四)

不願你豪飲着醉不了靈魂之酒，
敢供你一杯白刃下流出來的殊血；
不願你妄嚼着補不了生命之饌，
敢供你一碟赤轍下堆疊着的白骨！

六，二一，夜自禹福樓歸後·

何　處

黃鶯的纏綿嬌歌，

已給春風吹散；

玫瑰的穠薰艷色，

已給烟雨打碎。

黃鶯雖去，

尚留柳絲哀魂；

玫瑰雖枯，

尚留草茵殘醉。

奈柳絲也死了，

試向何處認前情

奈草茵也燒了，

試向何處覓餘愛

六，二四．

情緒的流露

春晨的黃鸝嬌歌，
不為了人們的欣賞．
這只是情緒的流露！

夏夜的鳴梟怪嘯，
不顧那人們的咒罵，
也只是情緒的流露！

六，二七，於蘇州．

惟一的勝利

我要變一條極猛烈的蜈蚣，

鑽入了黝黑而深邃的地中；

不去回顧那墓上的青草黃花，

只儘我的殘暴去螫刺朽敗的枯骨！

我要變一顆極迅速的流星，

衝向了浩蕩而渺茫的天空；

不去俯臨那人間的密意柔情，

只儘我的狂熱去投抱炎赫的熾日！

七，四，于蘇州。

小倉別墅夜茗

我們也暫作流星之聚，

待天明就要作流雲飛散。

鬱着叢林的薰風，

何妨把熱情沈醉。
澆着那三杯兩盞的白水，
裸呈了放懷的狂態。
羞聽那隔座喁喁細語，
起來把月影花痕蹂碎！

七，五，偕專科同學，

熱情的災殃

鴛湖堤上的柳絲拂拂，
將伊燒枯成消散的飛塵。
免得我番番經過，
苦憶那婀娜的靚影，

平波臺下的流水浪浪，

將伊隴澑成凹凸的邱坟。

免得我番番經過，

傷心那嗚咽的悲哽。

可憐的熱情呀，

徒遺了自巳的災殃！

燒得那心蘇不留寸屑，

曬得那心泉滴流都盡！

廿，六，于蘇州輪舟中。

歸　　來

(一)

歸來只有白髮祖母，

殷殷問我身體安康；

可永難見垂鬢老父，

再來問我學業精荒！

（二）

走向靈前聲聲呼時，

謦欬之音永遠消亡；

立在像下凝凝看時，

徒見影中含笑容光！

（三）

我屢次望家內來諭，

覺醒時只有滿眼淒涼；

我也屢次想寄家書，

焚化時只見白紙飛揚！

（四）

流浪之兒依舊流浪，

歸來只能說瘦骨猶強；

但是我殘破的心靈，

只恐怕終於使你心傷！

七，八，返榆緊。

題影贈咏瓊

洞庭秋色，寫我形神；

笠澤春潮，象我心靈。

　　聽春潮忽咽咽，

　　看秋色條溟溟，

朋友！除非你來，

　　親步山之麓，

　　親涉湖之濱。

但我願先寄你一幅湖山之影，

相信你不會如伊忍心，

　　毀滅我不値毀滅之痕！

七，二〇，寄於南潯。

故鄉的秋夜

聽秋階下的蟲吟，

吟盡了生命的愁怨。

聽秋坟中的鬼唱，

唱澈了生命的悲哀。

故鄉的秋夜呀，

我的心永在故鄉的秋夜之中！

八，二一，敗生之微痕。

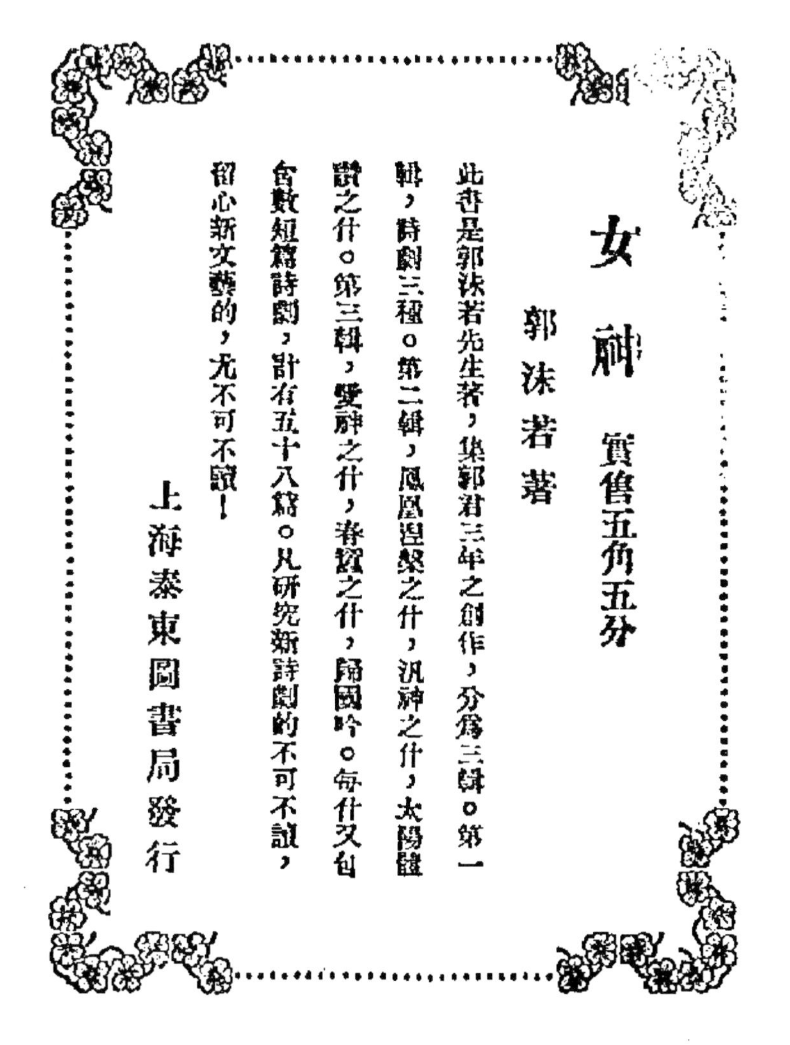
女神 實售五角五分
郭沫若著
此書是郭沫若先生著，集郭君三年之創作，分爲三輯。第一輯，詩劇三種。第二輯，鳳凰涅槃之什，汎神之什，太陽禮讚之什。第三輯，愛神之什，春蠶之什，歸國吟。每什又包含數短篇詩劇，計有五十八篇。凡研究新詩劇的不可不讀，留心新文藝的，尤不可不讀！
上海泰東圖書局發行

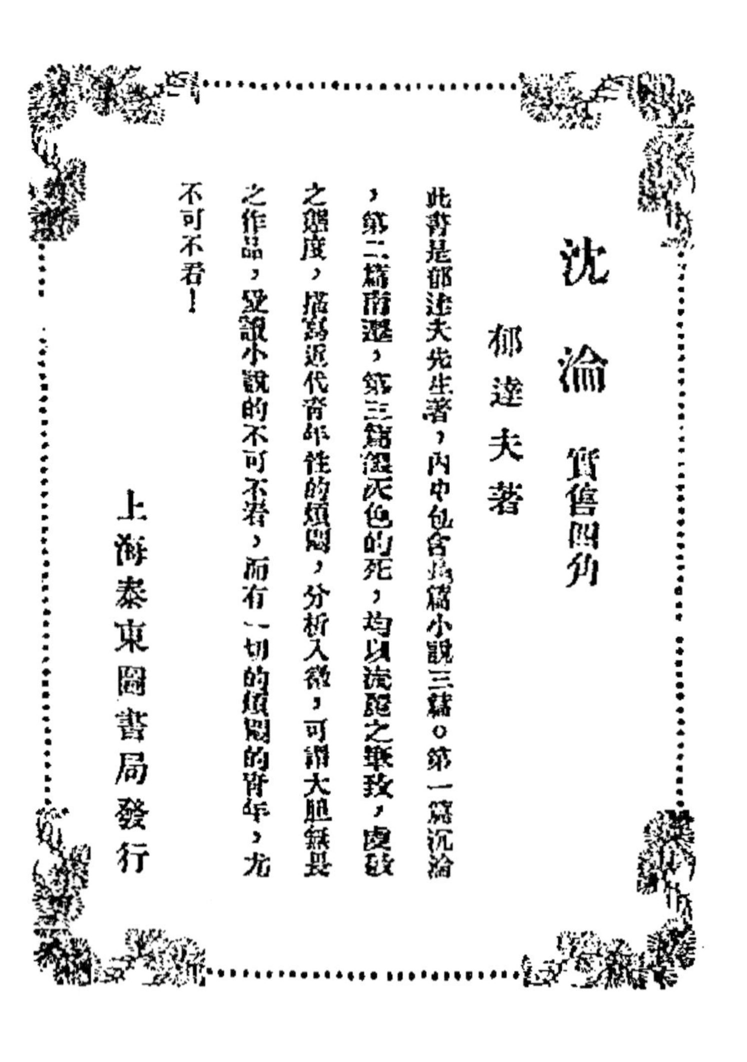
沈淪 實售四角
郁達夫著
此書是郁達夫先生著，內中包含短篇小說三篇。第一篇沉淪，第二篇南遷，第三篇銀灰色的死，均以流麗之筆致，虛敵之態度，描寫近代青年性的煩悶，分析入微，可謂大膽無畏之作品，是說小說的不可不看，而有一切的煩悶的青年，尤不可不看！
上海泰東圖書局發行

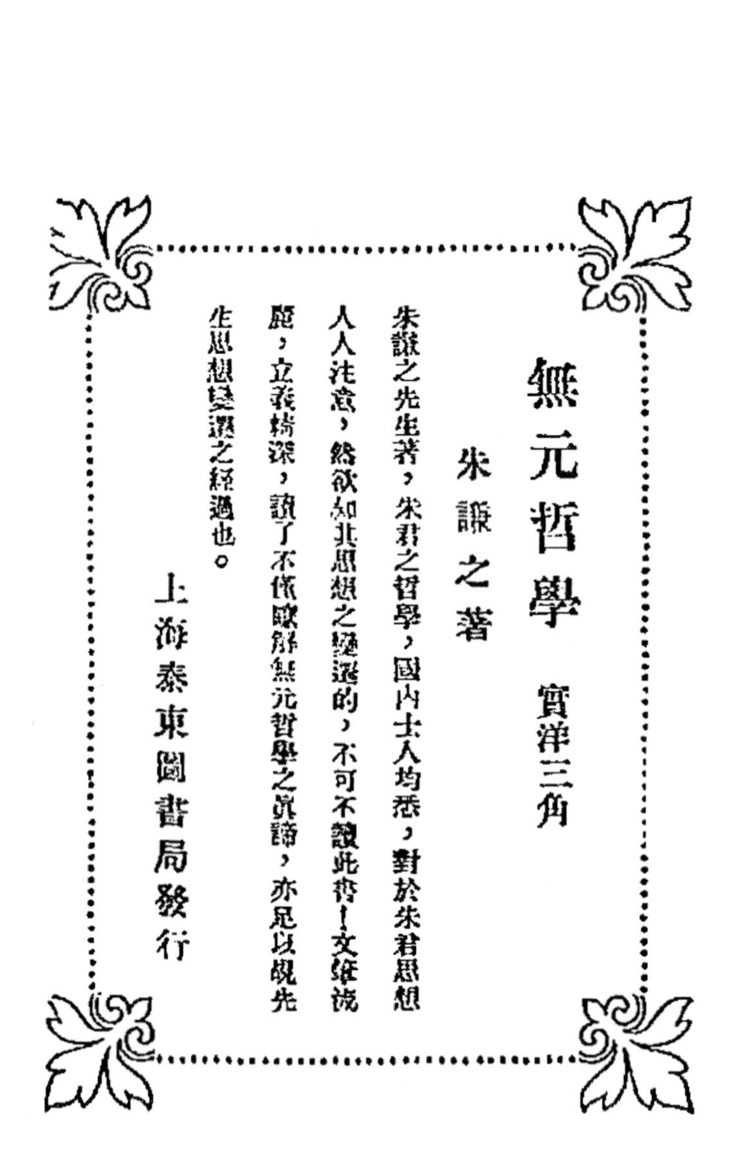

無元哲學 實洋三角

朱謙之著

朱謙之先生著，朱君之哲學，國內士人均悉，對於朱君思想人人注意，然欲知其思想之變遷的，不可不讀此書！文筆流麗，立義精深，讀了不僅瞭解無元哲學之真諦，亦足以觀先生思想變遷之經過也。

上海泰東圖書局發行

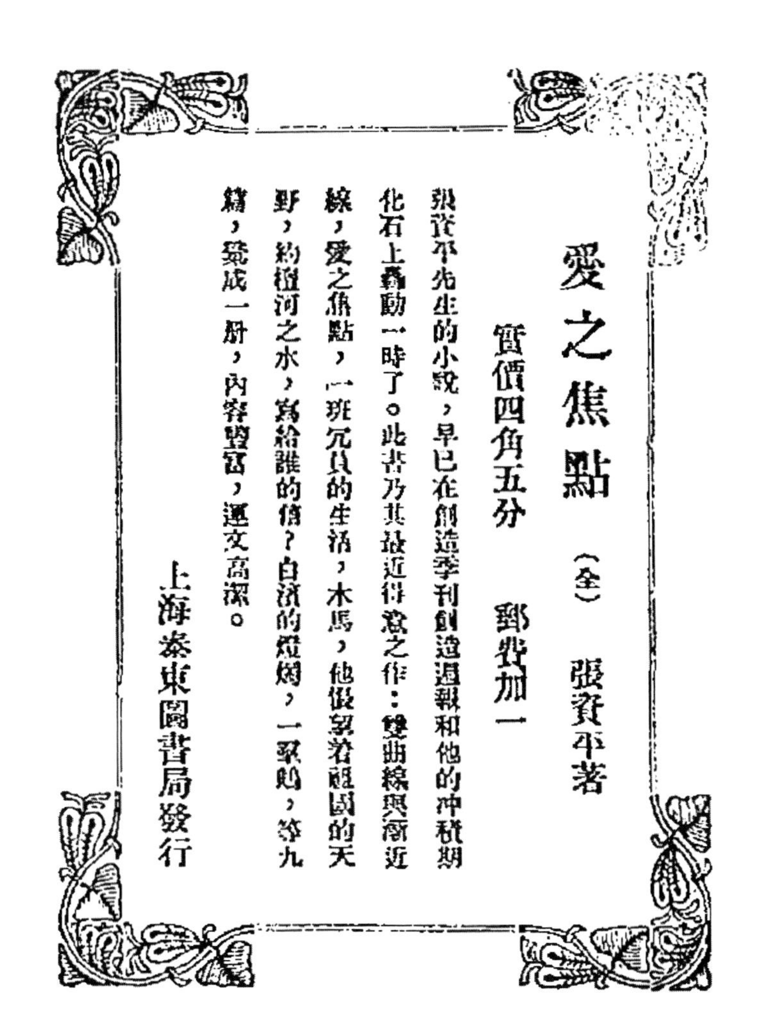
愛之焦點（全） 張資平著
實價四角五分 郵費加一
張資平先生的小說，早已在創造季刊創造週報和他的冲積期化石上轟動一時了。此書乃其最近得意之作：雙曲線與漸近線，愛之焦點，一班冗員的生活，木馬，他悵望着祖國的天野，約檀河之水，寫給誰的信？白濱的燈塔，一聚點，等九篇，彙成一册，內容豐富，選文高潔。
上海泰東圖書局發行

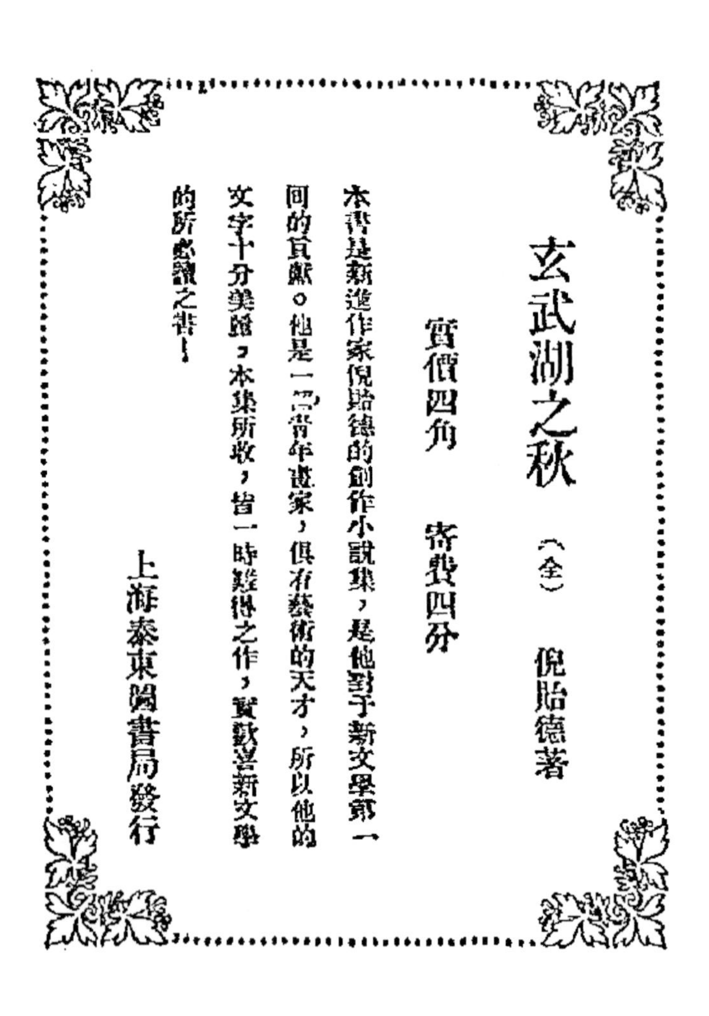
玄武湖之秋（全） 倪貽德著
實價四角 寄費四分
本書是新進作家倪貽德的創作小說集，是他對于新文學第一
回的貢獻。他是一個青年畫家，俱有藝術的天才，所以他的
文字十分美麗，本集所收，皆一時難得之作，實歡喜新文學
的所必讀之書！
上海泰東圖書局發行

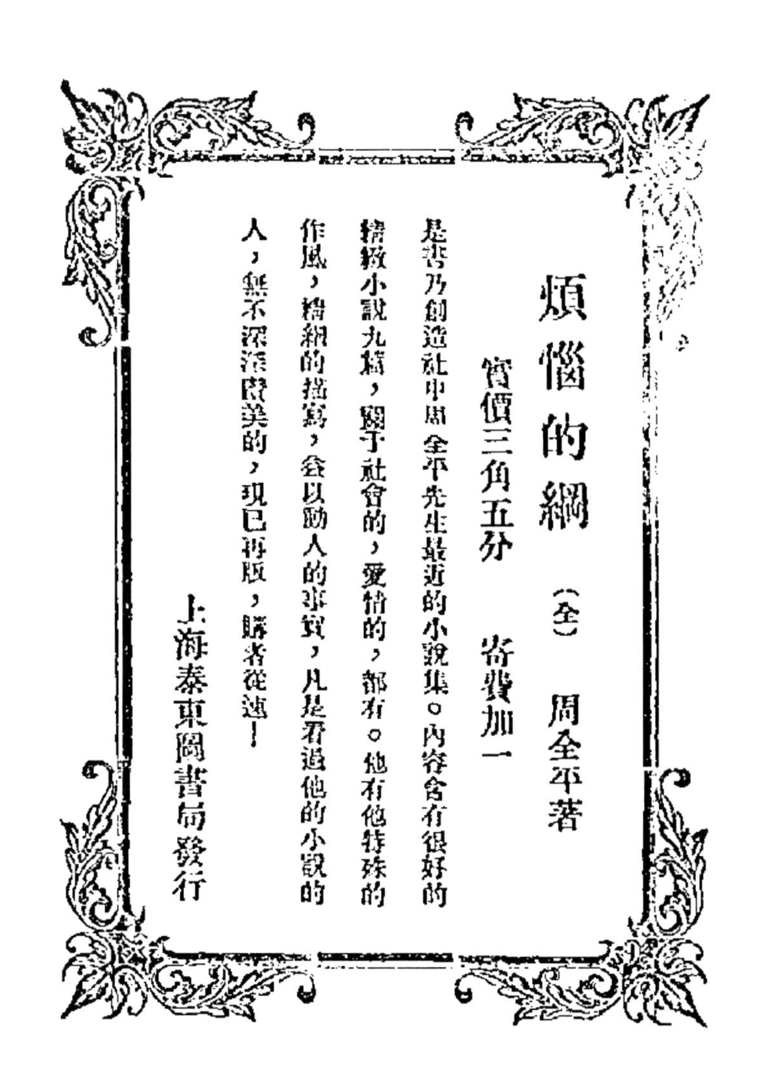
煩惱的網（全） 周全平著
實價三角五分 寄費加一
是書乃創造社中周全平先生最近的小說集。內容含有很好的
精緻小說九篇，關于社會的，愛情的，都有。他有他特殊的
作風，精細的描寫，益以動人的事實，凡是看過他的小說的
人，無不深深讚美的，現已再版，購者從速！
上海泰東圖書局發行

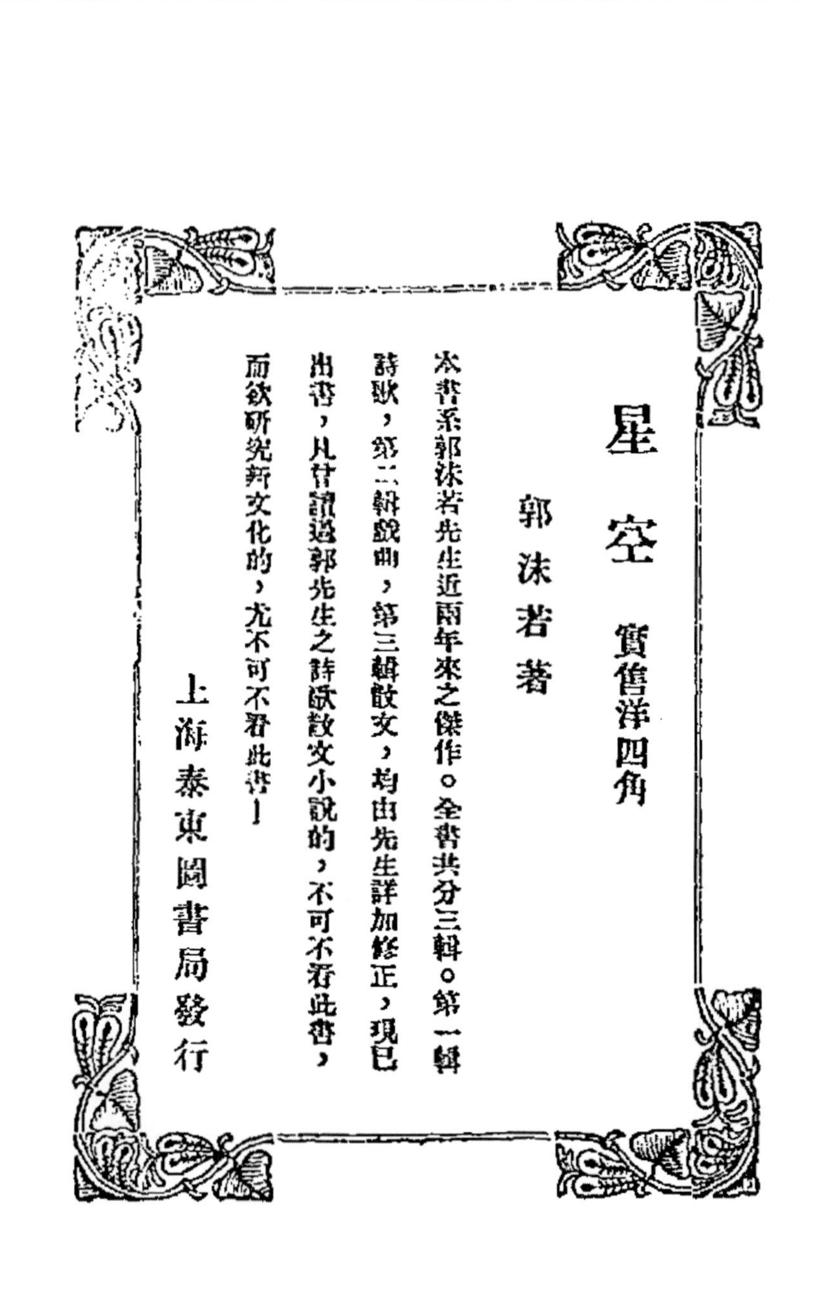
星空 實售洋四角
郭沫若著
本書系郭沫若先生近兩年來之傑作。全書共分三輯。第一輯詩歌，第二輯戲曲，第三輯散文，均由先生詳加修正，現已出書，凡曾讀過郭先生之詩歌散文小說的，不可不看此書，而欲研究新文化的，尤不可不看此書！
上海泰東圖書局發行

茵夢湖

實售一角五分

郭沫若錢君胥合譯

這是德國名家小說的一種，裏面含着哀情的著作，情節的苦楚，讀者無不爲之流淚。現代的青年們，想免却溺死愛河中的苦楚。快讀此書，可爲之一救！譯筆尤稱美妙，六版時曾由郭沫若先生改正不少！

上海泰東圖書局發行

少年維特之煩惱

實售四角

郭沫若譯

這部書是歌德的自傳，和他友人的情史，也可稱爲哀情的特著。因戀愛而成悲哀的殘局，幾於爲不自然之戀愛而自殺。有讀此書而實行自殺者，其感人之處如此。譯筆清新華麗，書前有序，書後有註，尤爲理解此書之雙輪兩翼！

上海泰東圖書局發行

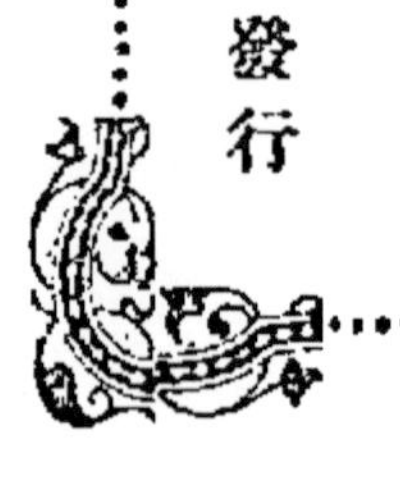

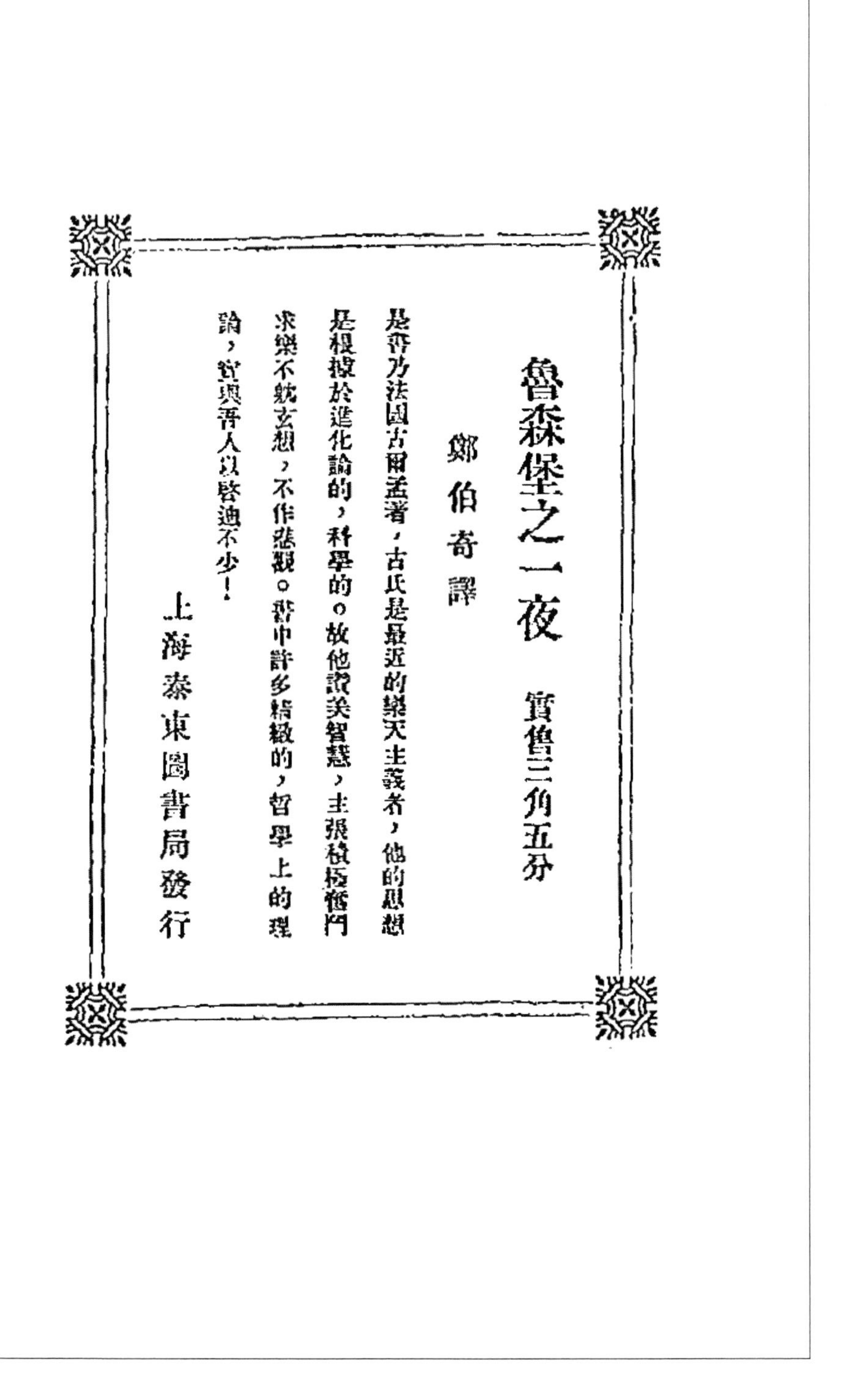
魯森堡之一夜　實售三角五分
鄭伯奇譯
是書乃法國古爾孟著，古氏是最近的樂天主義者，他的思想是根據於進化論的，科學的。故他讚美智慧，主張積極奮鬥求樂不執玄想，不作悲觀。書中許多精緻的，哲學上的理論，實與吾人以啓迪不少！
上海泰東圖書局發行

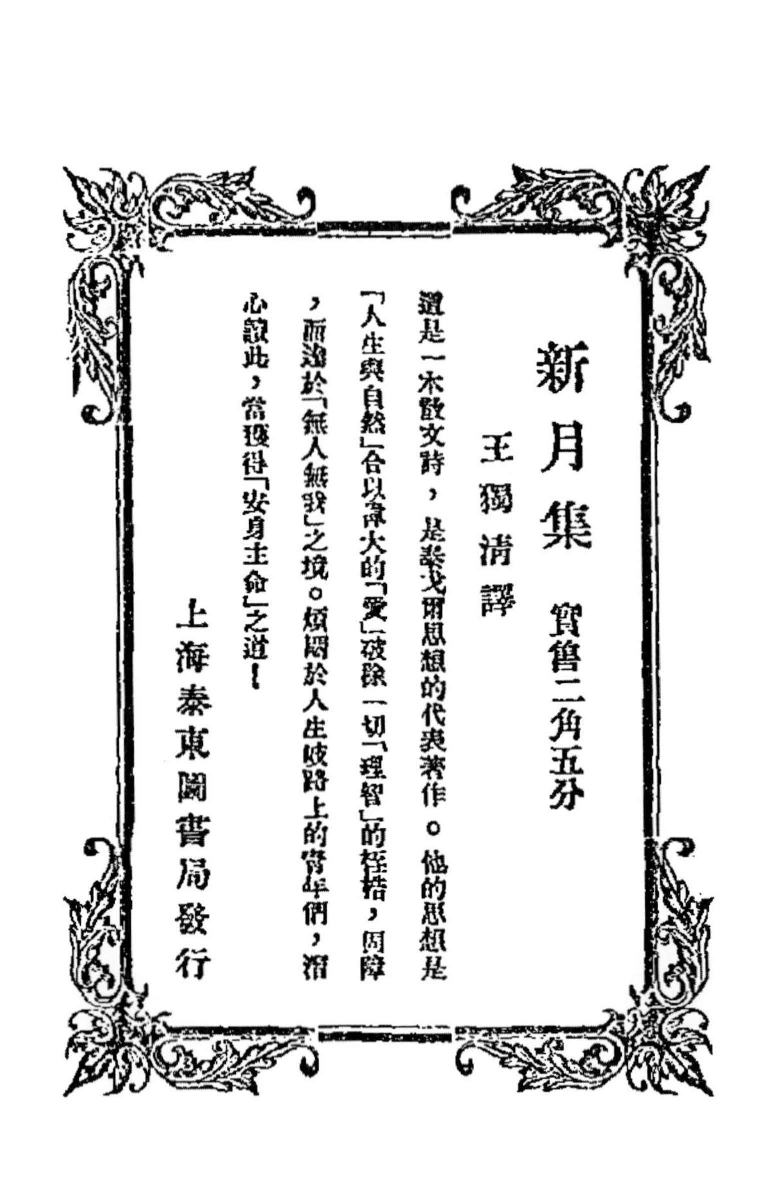
新月集 實售二角五分
王獨清譯
這是一本散文詩，是泰戈爾思想的代表著作。他的思想是
「人生與自然」合以偉大的「愛」破除一切「理智」的桎梏，固障
，而逾於「無人無我」之境。煩悶於人生歧路上的青年們，潛
心讀此，當獲得「安身立命」之道！
上海泰東圖書局發行

王爾德童話　實售二角五分
穆木天譯
王爾德是唯美派的作家。他的藝術，可算達「美」之絕頂。他
的童話集中，可作一部美麗的散文詩讀。穆君譯筆流暢尤稱
絕妙！愛好文學及研究童話者，請購一讀！
上海泰東圖書局發行

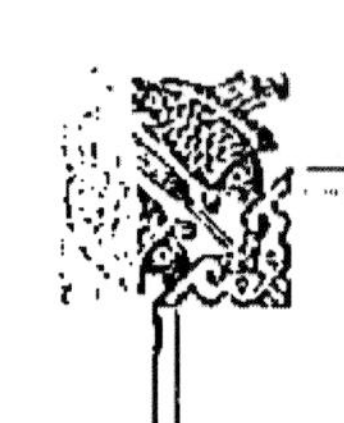

蜜蜂

原著者法國 Anatol France
譯者 穆木天

實價二角五分　郵費二分半

這是兒童文學中的一部傑作！是一部眞實的小說，說的是什麼呢？是母親的愛，兒女的愛，與愛人的愛。這裏面有祖國，同情，英勇，互助，快活，忠恕，自信，堅忍，諸德。有比這種種人性的精華還眞實的麼？譯筆忠實，文字美妙，亦不亞於原著，可以作教科書，可以作課外讀本，現已再版，購者從速！

上海泰東圖書局發行

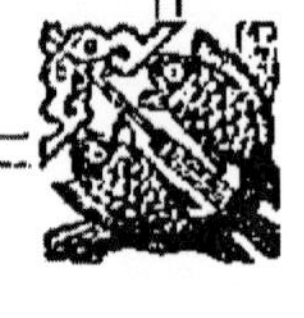

中華民國十五年六月出版

微痕

定價六角
寄費六分

著作者 曹唯非

發行者 趙南公

印刷者 泰東圖書局

總發行所 泰東圖書局 上海四馬路

分局 南京太平街 長沙南陽街

代售處 各省各大書局

花木蘭文化事業有限公司聲明啓事

此次《民國文學珍稀文獻集成》出版，有賴各位作者家屬大力支持，慨然允贈版權，遂使這巨大的文化工程得以開展。本公司全體同仁在此向各位致以誠摯的謝意！

由於民國作者人數眾多，年代久遠且戰火頻繁，本公司傾全力尋找，遍訪各地，能夠找到的後人，得其親筆授權者，爲數甚寡。更多的情況是，因作者本人下落不明，連版權情況都無從知曉。

因此，本公司鄭重聲明：

此叢書所錄專著，凡有在版權期內而未授權者，作者家屬可與本公司聯繫，本公司願奉送相關贈書 50 冊爲報酬，補簽授權協議。

望家屬看到此通知後與本公司聯繫。聯繫信箱：hml@vip.163.com

花木蘭文化出版社

2021 年秋